NEW 서울대 선정 인문고전 60선

09
사마천 **사기열전**

NEW 서울대 선정 인문 고전 ❾
만화 사마천 사기열전

개정 1판 1쇄 발행 | 2019. 8. 21
개정 1판 2쇄 발행 | 2021. 9. 27

정연 글 | 진선규 그림 | 손영운 기획

발행처 김영사 | 발행인 고세규
등록번호 제 406-2003-036호 | 등록일자 1979. 5. 17.
주소 경기도 파주시 문발로 197 (우10881)
전화 마케팅부 031-955-3100 | 편집부 031-955-3113~20 | 팩스 031-955-3111

값은 표지에 있습니다.
ISBN 978-89-349-9434-3
ISBN 978-89-349-9425-1(세트)

좋은 독자가 좋은 책을 만듭니다. 김영사는 독자 여러분의 의견에 항상 귀 기울이고 있습니다.
전자우편 book@gimmyoung.com | 홈페이지 www.gimmyoungjr.com

이 도서의 국립중앙도서관 출판예정도서목록(CIP)은 서지정보유통지원시스템 홈페이지(http://seoji.nl.go.kr)와 국가자료종합목록시스템(http://www.nl.go.kr/kolisnet)에서 이용하실 수 있습니다. (CIP제어번호 : CIP2018042472)

어린이제품 안전특별법에 의한 표시사항

제품명 도서 제조년월일 2021년 9월 27일 제조사명 김영사 주소 10881 경기도 파주시 문발로 197
전화번호 031-955-3100 제조국명 대한민국 ⚠주의 책 모서리에 찍히거나 책장에 베이지 않게 조심하세요.

미래의 글로벌 리더들이 꼭 읽어야 할 인문고전을 만화로 만나다

NEW 서울대 선정 인문고전 60선

09

사마천 사기열전

정연 글 · 진선규 그림

주니어김영사

〈NEW 서울대 선정 인문고전60〉이 국민 만화책이 되기를 바라며

제가 대여섯 살 때 동네 골목 어귀에 어린이들에게 만화책을 빌려주는 좌판 만화 대여소가 있었습니다. 땅바닥에 두터운 검정 비닐을 깔고 그 위에 아이들이 좋아하는 만화책을 늘어놓았는데, 1원을 내면 낡은 만화책 한 권을 빌릴 수 있었지요. 저는 그곳에서 만화책을 보면서 한글을 깨쳤고 책과의 인연을 맺었습니다.

초등학교 때는 용돈을 아껴서 책을 사서 읽었고, 중학교 때는 학교 도서 반장을 맡아 도서관에서 매일 밤 10시까지 있으면서 참 많은 책을 읽었습니다. 그 무렵 헤밍웨이의 《노인과 바다》를 손에 땀을 쥐며 읽으면서 인생에 대해 고민했고, 헤르만 헤세의 《수레바퀴 아래서》를 읽으며 사춘기의 심란한 마음을 달랬습니다. 김래성의 《청춘 극장》을 밤새워 읽는 바람에 다음 날 치르는 중간고사를 망치기도 했습니다.

당시 저의 꿈은 아주 큰 도서관을 운영하는 사람이 되어 온종일 책을 보면서 책을 쓰는 작가가 되는 것이었습니다. 나이가 들고 어느 정도 바라는 꿈을 이루었습니다. 큰 도서관은 아니지만 적당한 크기의 서점을 운영하고, 글을 쓰는 작가가 되었거든요. 저는 여기에 새로운 꿈을 하나 더 보탰습니다. 그것은 즐거운 마음과 힘찬 꿈을 가지게 해 주고, 나아가 자기 성찰을 도와주는 좋은 만화책을 만드는 일이었습니다. 이렇게 해서 만든 책이 바로 〈서울대 선정 인문고전〉입니다. 서울대학교 교수님들이 신입생과 청소년들이 꼭 읽어야 할 책으로 추천한 도서들 중에서 따로 60권을 골라 만화로 만든 것입니다. 인류 지성사의 금자탑이라고 할 수 있는 고전을 보기 편하고 이해하기 쉽도록 만화책으로 만드는 일은 쉬운 일은 아니었습니다. 약 4년 동안에 수십 명의 학교 선생님들과 전공 학자들이 원서의 내용을 정확하게 전달할 수 있도록 밑글을 쓰고, 수십 명의 만화가들이 고민에 고민을 거듭하면서 만화를 그려 60권의 책을 만들었습니다.

〈서울대 선정 인문고전〉이 완간되었을 무렵에 우리나라에 인문학 읽기 열풍이 불기 시작했습니다. 〈서울대 선정 인문고전〉은 인문학 열풍을 널리 퍼뜨리는 데 한몫을 하면서 독자들의 뜨거운 사랑과 관심을 받았습니다. 덕분에 지금까지 수백만 권이 팔리는 베스트셀러가 되었습니다. 그 사랑에 조금이나마 보답을 하기 위해 《칸트의 실천이성 비판》, 《미셸 푸코의 지식의 고고학》, 《이이의 성학집요》 등 우리가 꼭 읽어야 할 동서양의 고전 10권을 추가하여 만화로 만들었습니다.

〈서울대 선정 인문고전〉은 어린이와 청소년이 부모님과 함께 봐도 좋을 만화책입니다. 국민 배우, 국민 가수가 있듯이 〈서울대 선정 인문고전〉이 '국민 만화책'이 되길 큰마음으로 바랍니다.

손영운

2000년 전 흥미진진하고 생생한 역사의 현장속으로 GO! GO!

중국의 어떤 의로운 사람이 고사리만 뜯어먹으며 지조를 지키다 결국 굶어죽었다는 이야기 들어봤지요? 동네 건달들의 가랑이 밑으로 기어간 대장군의 이야기는요? 원수를 잊지 않기 위해 날마다 곰의 쓸개를 핥았다는 왕의 이야기는요?

여러분 중에 혹시 그런 이야기들을 중국이나 우리나라의 전래 동화나 설화라고 생각하는 사람은 없나요? 천만에요. 너무나 흥미진진하고 생생한 그 이야기들은 2000년이 훨씬 넘는 옛날에 실제 중국에서 일어난 일들이에요.

그 먼 옛날의 일을 어떻게 알 수 있냐고요? 그 때의 일을 기록한 역사책이라도 있냐고요? 그럼요. 당연히 있지요. 바로 《사기》라는 역사책이에요. 한나라 때 쓰여진 《사기》에는 앞에서 말한 의인과 대장군과 왕뿐만 아니라 역사가 시작된 때부터 한나라 때까지 중국과 그 주변에 살았던 많은 사람들의 이야기가 적혀 있어요. 이후 역사가 흘러가면서 숱한 사람들의 입에 오르내리고, 비슷한 일들이 일어날 때마다 그 사건을 설명하는 예가 되곤 했던 그런 이야기들이지요. 그러다보니 《사기》에 나오는 이야기들은 많은 고사성어를 낳기도 했어요. 배수진을 친다는 말, 사면초가라는 말, 관포지교라는 말, 사냥이 끝

나면 사냥개를 잡아먹는다는 말(토사구팽) 등이 모두 《사기》에 적힌 이야기와 관련되어 있지요.

《사기》는 2100년 전 사마천이란 분이 썼어요. 친구를 변호하다 억울하게 죽게 되었지만, 오직 아버지의 유언을 지키기 위해 궁형이라는 치욕적인 형벌을 감수했던 분이지요. 그 유언은 바로 후세에 길이 남을 역사책을 쓰라는 것! 그는 수군거리는 사람들의 시선을 느끼며 오직 책 쓰는 일에 몸과 마음을 다 바쳤어요. 그리고 결국 《사기》라고 하는 대단한 역사책을 만들어내고 말지요. 여러분은 이 책에서 그 《사기》 중에서도 가장 다양한 사람들의 이야기가 적힌 '열전' 편을 만나게 될 거예요.

선생님이 존경하는 멋진 역사가와, 생각만 해도 마음이 뿌듯해지는 훌륭한 역사책을 여러분에게 소개하게 돼서 기뻐요. 그리고 여러분이 너무 부러워요. 선생님은 오래 전부터 《사기》의 명성을 들어 알고 있었지만 불과 몇 년 전까지만 해도 감히 이 책을 읽는다는 것은 엄두조차 낼 수 없는 일이었거든요. 그러니 이렇게 쉽게, 그것도 재미있는 만화로 이런 고전을 읽을 수 있는 여러분이 부러울 수밖에요. 아무쪼록 이 책이 여러분의 정신을 살찌우는 맛있는 책이 되기를 기대할게요.

정연

독자 여러분의 회초리를 격려 삼아

《서울대 선정 인문고전 50선 9 사마천 사기열전》을 시작한 지 어느덧 몇 개월이 지나고 주변은 벌써부터 봄기운이 맴돌고 있네요.

《사기열전》이 나올 때쯤이면 주변은 온통 봄꽃으로 가득 차겠죠.

언젠가 이 계절쯤 됐을 거예요. 어릴 적 봄꽃에 취해 나도 모르게 동네 뒷산 정상까지 오른 적이 있습니다. 비록 60가구 정도 사는 마을이었지만… 산 정상에서 내려다 본 내 고향 마을은 나에게 너무나 크고 넓어 보였지요. 그러다 시간이 흐르면서 더 넓고 큰 도시들을 경험하게 되었습니다.

서울이라는 도시에 처음 올라와 제일 먼저 가본 곳이 바로 남산이었어요. 굳이 남산타워까지 올라가지 않아도 남산에서 바라본 서울의 야경은 그 때까지 어디에서도 경험해 보지 못한 아름다운 모습이었죠. 그 아름다운 야경 위에 미래의 꿈을 그리기 시작했고 그 꿈을 그린 지가 어느덧 10년이라는 세월을 훌쩍 넘어 섰네요.

아직 그때 꿈꾸던 그림을 다 완성하지는 못했지만 지금도 그 꿈을 향해 펜을 들고 하얀 원고지 위에 먹자국을 새겨 가고 있답니다.

이번 작품도 그 꿈을 그리기 시작할 때의 초심에서부터 시작하였습니다. 《사기열전》의 틀을 짜고 느낌을 잡고 그려 나갔지만 그리면 그릴수록 알 수 없는 벽이 느껴져 왔지요. 이 벽

을 깨뜨리고 넘어서려고 노력도 해보았지만 글을 써주신 정연 선생님의 기대에는 훨씬 못 미칠 것이라 생각됩니다. 이 점 정 선생님께 너무도 죄송스럽네요. 이 자리를 빌어 사죄의 말씀을 드릴까 합니다.

"정연 선생님, 죄송합니다."

이제 독자 분들의 매서운 회초리와 따뜻한 격려만이 남아 있습니다. 늘 회초리는 맞지 않아야겠다 생각하며 원고에 임하지만 늘 그 결과는 장담할 수가 없군요. 아무리 노력했어도 나 스스로의 능력이 모자란 부분은 독자 분들의 매서운 회초리를 격려 삼아 채워나가야 할 것 같습니다. 아파하지 않고 그 아픔을 꿈 속에 꾹꾹 눌러 담아.

오늘은 이 크고 아름다운 도시의 야경보다 내 조그마한 시골 마을 뒷산에서 풍겨 오는 봄 냄새와 아담한 풍경이 무척이나 그립습니다.

김선규

| 차 례 |

알고 보면 더 재미있는 중국사 이야기

전국 시대 지도
안에는 '전국 칠웅'의 나라
고비사막
누번
월지
국어
조
진
위
황하 강
한
진
양쯔
백월

흉노
동호
조선
연
노
제
등
송
오
월

제1장
《사기열전》은 어떤 책일까?
사기
열전
세가
서
표
본기
《사기열전》에 대해
좀 아냐고?
당근이지.
근데 웬일로
그런 고전을 다
들먹여?
탐구학습.
탐구학습. 조오치!
근데 준이는 《사기열전》이
뭐라고 생각하는데?
남 속이고… 사기치면서
열심히 전쟁하는 이야기?
헉!
바보! 《사기열전》은
역사책이야!
!!
현이 말이 맞아,
《사기열전》은 사마천이 쓴
역사책이야.
사 기

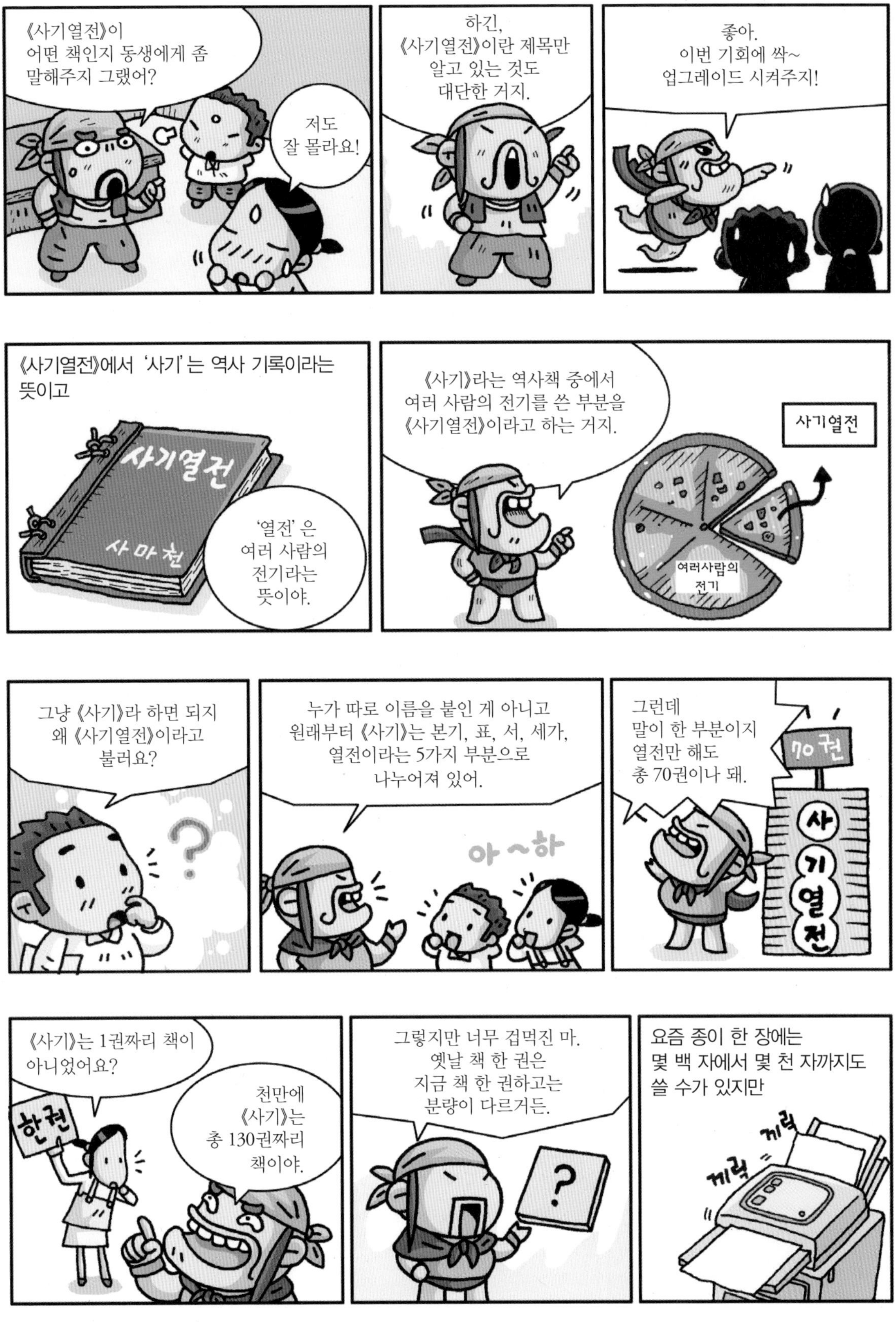
《사기열전》이
어떤 책인지 동생에게 좀
말해주지 그랬어?
저도
잘 몰라요!
하긴,
《사기열전》이란 제목만
알고 있는 것도
대단한 거지.
좋아.
이번 기회에 싹~
업그레이드 시켜주지!
《사기열전》에서 '사기'는 역사 기록이라는
뜻이고
사기열전
사마천
'열전'은
여러 사람의
전기라는
뜻이야.
《사기》라는 역사책 중에서
여러 사람의 전기를 쓴 부분을
《사기열전》이라고 하는 거지.
사기열전
여러사람의
전기
그냥 《사기》라 하면 되지
왜 《사기열전》이라고
불러요?
누가 따로 이름을 붙인 게 아니고
원래부터 《사기》는 본기, 표, 서, 세가,
열전이라는 5가지 부분으로
나누어져 있어.
아~하
그런데
말이 한 부분이지
열전만 해도
총 70권이나 돼.
70권
사기열전
《사기》는 1권짜리 책이
아니었어요?
한권
천만에
《사기》는
총 130권짜리
책이야.
그렇지만 너무 겁먹진 마.
옛날 책 한 권은
지금 책 한 권하고는
분량이 다르거든.
?
요즘 종이 한 장에는
몇 백 자에서 몇 천 자까지도
쓸 수가 있지만
끼릭
끼릭

옛날에는 죽간이나 목간이라고 해서 나무나 대나무로 만든 얇은 판을 겹쳐서 글씨를 썼는데
죽
간
한쪽에 쓸 수 있는 글자가 20자에서 30자 정도밖에 안 됐어.
같은 1권이라고 해도 요즘 책에 비해서는 분량이 적다고 보면 되지.
요즘 책
죽간
참, 책이란 한자는 대나무 쪽을 나란히 놓고 이것들을 가죽 끈으로 묶은 모양에서 유래한 글자야.
冊
《사기》가 요즘 책으로 몇 권이나 되는지 계산해보면 총130권 전체에 쓰인 글자가 총526,500자라니까…
130x526.000÷
꿍
꿍
?
계산은 집에 가서 하고… 지금 부터 《사기》 이야기나 해 볼까?
사기
훅
엥?
《사기》는 본기, 표, 서, 세가, 열전의 다섯 부분으로 구성되어져 있다고 했지?
우리는 저기 맨끝에 있는 열전에 대해서 이야기할 거야!
사기
본기
표
서
세가
열전
《사기》는 기원전 100년쯤에 중국 한나라에서 쓰여졌어.
사기
한
중국
기원전이라는 거는 Before Christ, 즉 예수 탄생을 0년으로 했을 때 거꾸로 몇 년인지를 세는 것인데, 간단하게 B.C. 라고들 하지!
B.C
B.C 0년
예수탄생
우리나라 최초의 국가였던 고조선을 무너뜨린 나라가 바로 중국의 한나라였어.
고조선

고조선이 한나라에 무너진 때가 기원전 100년 쯤이거든.
고
조
선
고조선을 무너뜨린 한나라 황제가 무제라는 사람인데 이때에 바로 《사기》가 만들어졌지.
무제
고조선이 한나라 대군을 맞아 대항한 이야기는 워낙 유명하니까 각자 조사해봐!
《사기》는 전설 시대인 '5제' 때부터 한나라 무제 때까지의 역사를 다루고 있어. 3황 5제부터 한나라까지의 중국의 여러 나라들에 대해서는 뒷부분에서 다룰 거니까 참고해!
5제
한나라무제
참고
정보페이지
이렇게 역사를 처음부터 끝까지 통틀어 다루는 것을 통사라고 해.
달
달
역사전체
통사
모든 시대를 똑같은 양으로 다룬 건 아니고 한나라에 가까운 시대일수록 상세하게 쓰고 시대가 위로 올라갈수록 간단하게 쓰고 있어.
한나라
진나라
하·은·주
5제
3황
여길 봐. 본기는 총12편으로 되어 있지만,
본기
오제본기, 하본기, 은본기, 주본기, 진본기,
진시황본기, 항우본기, 고조본기, 여태후본기,
효문본기, 효경본기, 효무본기

수천 년 중국 역사를 다루면서
100년 정도밖에 안 되는 진,
한 시대가 전체의 2/3 이상 돼.
한
진
5제
하은주
수 천 년 역 사
사마천은 자기가 살던 시대를 많이
쓰고 싶었나봐!
현 대
《사기》는 현대사 중심의 통사
책이었다고 말할 수 있겠지?
지금은 이미
그 시대가
고대가
되었지만.
《사기》는 중국을 중심으로 쓴
세계사 책이라고도 할 수 있어.
세 계 사
중국
우리나라의 역사도 《사기열전》
55번째인 조선 열전에서 다루고 있고
조선 열전
흉노, 베트남 같은 나라의
역사도 간단하게나마
다루고 있어!
흉노
베트남
사 기
조선 열전
중국 역사책에
우리나라 이야기가
있는 게 신기해요.
뭐 그렇게
신기해 할 건
없어.
사기
《사기》뿐만 아니라
중국 역사책에 우리나라는
빠지지 않는 단골손님 중에
하나야!
조선*
우리만큼
오랫동안 중국과
관계를 맺어 온
나라도 없거든.
우리 민족은 역사의
시작부터 지금까지
중국 바로 옆에서
늘 중국과
겨루어 왔잖아.
그러니 중국의 입장에서 볼 때 우리나라는 좋든 싫든
항상 신경써야 할 이웃나라였지.
옷이 왜 저래?
특공대인가?
대한민국~
만세~

*조선 – 고(古)조선을 말함.

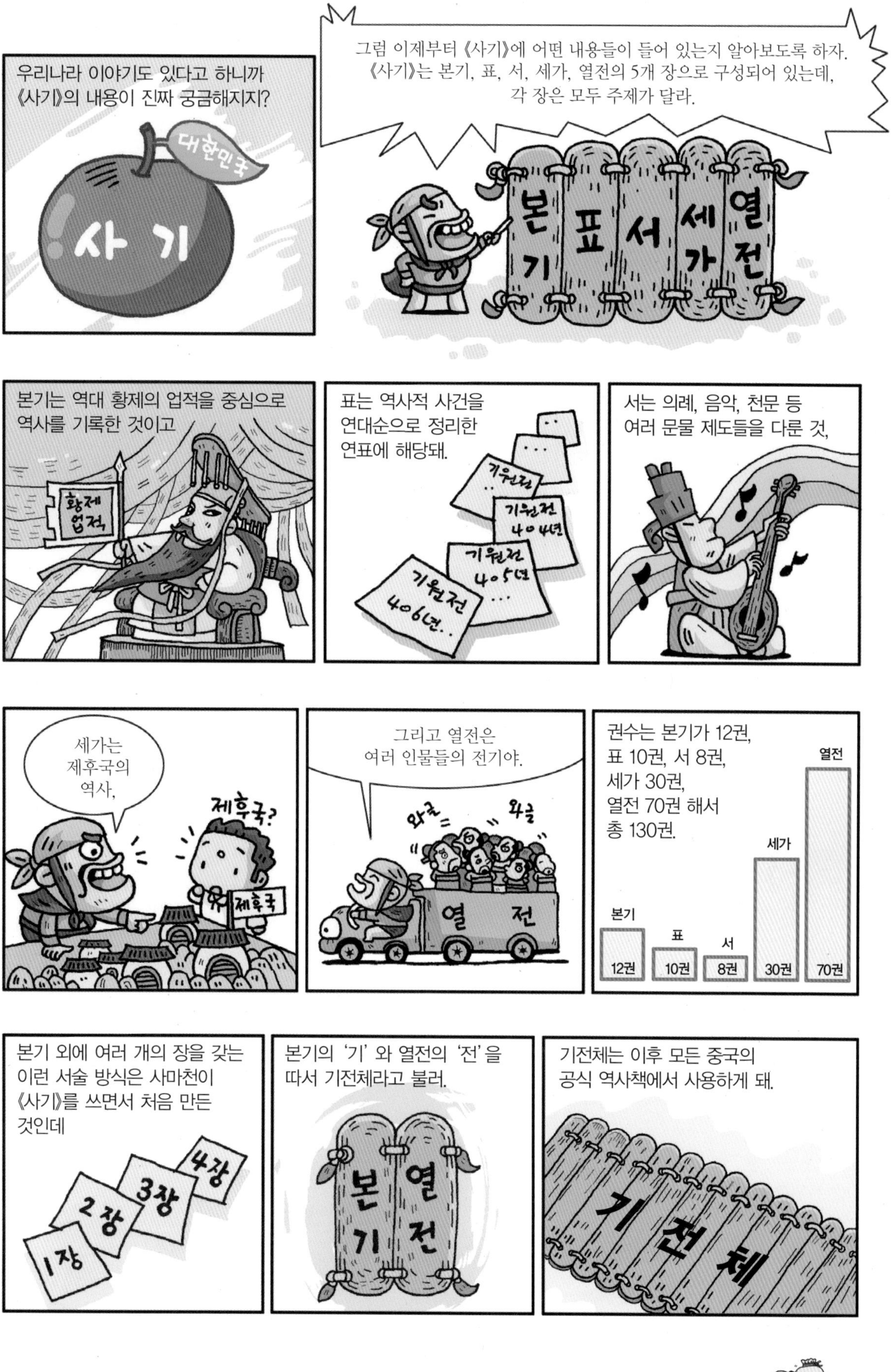

우리나라 이야기도 있다고 하니까
《사기》의 내용이 진짜 궁금해지지?
대한민국
사기
그럼 이제부터 《사기》에 어떤 내용들이 들어 있는지 알아보도록 하자.
《사기》는 본기, 표, 서, 세가, 열전의 5개 장으로 구성되어 있는데,
각 장은 모두 주제가 달라.
본기
표
서
세가
열전
본기는 역대 황제의 업적을 중심으로
역사를 기록한 것이고
황제 업적
표는 역사적 사건을
연대순으로 정리한
연표에 해당돼.
기원전
기원전 404년
기원전 405년
기원전 406년..
서는 의례, 음악, 천문 등
여러 문물 제도들을 다룬 것,
세가는
제후국의
역사,
제후국?
제후국
그리고 열전은
여러 인물들의 전기야.
와글
와글
열전
권수는 본기가 12권,
표 10권, 서 8권,
세가 30권,
열전 70권 해서
총 130권.
본기 12권
표 10권
서 8권
세가 30권
열전 70권
본기 외에 여러 개의 장을 갖는
이런 서술 방식은 사마천이
《사기》를 쓰면서 처음 만든
것인데
1장
2장
3장
4장
본기의 '기' 와 열전의 '전' 을
따서 기전체라고 불러.
본기
열전
기전체는 이후 모든 중국의
공식 역사책에서 사용하게 돼.
기전체

사마천은 오랜 시간에 걸쳐 이루어진 역사를 어떻게 하면 생생하게 그려낼 수 있을까를 고민했어.
음
광활한 역사
사마천이 본보기로 삼았던 책은 《춘추》였어.
춘추
《춘추》는 노나라 왕을 중심으로 노나라 안팎에서 일어난 사건들을 연대순으로 정리한 책이었어.
노나라
사건
사고
사마천은 《춘추》의 방식을 따라 역대 황제들을 중심으로 전설 시대부터 한나라 시대까지의 중국 역사를 쭉 정리하여 본기를 완성했지.
본기
그러나 사마천은 이것으로 만족할 수가 없었을 거야.
갈증나!
여러 가지 사건들과 사람들이 서로 얽히고 설켜서 만들어 내는 역사!
역사
그런 다양한 역사를 보여 주고 싶었거든!
역사
비디오 카메라만 있었어도 이쪽 저쪽의 역사를 다 보여줬을 텐데…
좀 촐싹대는 게 흠이야!
기전체는 그런 안타까운 마음이 만들어 낸 발명품이라고 보아야 해.
기전체
사마천은 황제 외에 역사를 움직이는 또 다른 사람들을 찾아내서 그들의 이야기를 써야 한다고 생각했어.
하늘에 별이 북극성을 중심으로 움직이는 것처럼 이 세상에도 제후들이 있어 황제를 중심으로 움직인다.
그래서 황제의 위임을 받아 각 지역을 실제로 다스렸던 제후들을 주인공으로 하여 세가를 엮었어.
제후...
세가

세가는 다음과 같이 정리되어 있어!
세가
오세가, 제태공세가, 주공세가, 연세가, 관채세가, 진기세가, 위세가, 송세가, 진세가, 초세가, 월왕구천세가, 정세가, 조세가, 위세가, 한세가, 전경중완세가, 공자세가, 진섭세가, 외척세가, 초원왕세가, 형연세가, 제도혜왕세가, 소상국세가, 조상국세가, 유후세가, 진승상세가, 강후세가, 양효왕세가, 오종세가, 삼왕세가
표는 제후들의 세력 변화와 제후국의 여러 사건들을 시간적, 공간적으로 이해하기 쉽게 정리한 것이야.
본기
표
세가
요즘 우리 역사 교과서에 나오는 연표 같은 것인데 역사를 일목요연하게 들여다 보기에 아주 편리하지.
이런 형식을 처음 만든 사람이 바로 사마천인 거지.
표는 아래와 같이 정리 되어 있고,
삼대세표, 십이제후연표, 육국연표, 진초지제월표, 한흥이래제후연표, 고조공신후자연표, 혜경간후자연표, 건원이래후자연표, 건원이래왕자후자연표, 한흥이래장상명신연표
본기, 세가, 표는 요즘으로 치면 정치사에 해당되는 거야.
이 사람 믿어 주세요!
선거
그런데 사마천은 역사에서 정치의 흐름도 중요하지만 문물 제도들의 변화도 중요하다고 생각했어.
문물의 변화
시대가 변하면 당연히 다스리는 수단도 변할 것이고, 제도도 변할 테니까.
예절 음악 천문 제사
세상에는 다양한 문화가 있어!
그래서 예절, 음악, 천문, 제사 같은 여러 제도들의 변화를 쓴 것이 서야.
서
예서, 악서, 율서, 역서, 천관서, 봉선서, 하거서, 평준서
이런 서가 있기에 《사기》는 정치, 문화, 경제 일부까지도 다루는 종합적인 역사책이 될 수 있었어.
종합선물세트 -사기-
《사기》의 맨 마지막 열전은 사마천의 역사관이 가장 잘 드러나 있고
역사관
열
전
기전체 역사 서술방식의 제일 큰 특징이기도 해.
전
기
체
기전체란 말이 본기의 기와 열전의 전을 딴 것이라고 아까 말한 건 잊지 않았겠지?
잘 적어 놨어요.

사마천은 역사를 움직이는 것은 인간이라고 굳게 믿고 있었어.
역사
사람이 세상을 움직인다.
황제도 아니고 제후도 아니지만 각자의 위치에서 열심히 살아 가는 사람들의 이야기를 반드시 써야 한다고 생각했어.
여러 인물
세상

《사기열전》을 《플루타르코스 영웅전》*과 비교하지만 나오는 인물들은 《플루타르코스 영웅전》과는 비교할 수 없게 다양해.
플루타르코스
《플루타르코스 영웅전》이 주로 정치가들이나 군인을 다루는 데 비해 《사기열전》에서는 재상이나 장군, 충신들 외에도 다양한 직업을 가진 사람들을 다루거든.
정치가
군인
장군
점술가
상인
웅변가
자객
플루타르코스
사기

*《플루타르코스 영웅전》 – 그리스 영웅들과 로마의 영웅을 비교하며 쓴 책으로 대비열전이라고도 한다.

또 하나 주목할 만한 것은 역사를 왜곡하지 않았다는 것.
한마디로 거짓이 없지!
역사 왜곡
그냥 있는 그대로를 보여주자!
진실
그 덕분에 2000년이 지나도록 《사기》에 씌어진 많은 이야기들을 믿고 있으니까.
사기
그런데 《사기》에는 더욱 중요한 특징이 있어. 바로 역사책이 갖추어야 할 기본적인 조건들을 잘 갖추고 있다는 거지!
역사책
기본
조건
그럼, 역사책이 갖추어야 할 조건은 무엇일까?
모든 일에는 순서가 있지!
자료 수집
자료
먼저 제대로 된 자료를 충분히 구하는 일이 가장 중요해.
시청에 불?
불 났나보다!
시청에
찢어진 신문

자료가 충분하지 못하고 흠이 있다면 과거에 있었던 일을 제대로 설명할 수가 없게 되거든.
어제 시청에 불이 났었대….
불이 난 게 아니라 불꽃놀이 한 거지!
다음으로 역사가가 세상을 바라보는 눈, 즉 '역사관'이 얼마나 올바른가가 중요해.
역사관
역사가는 자기의 역사관에 따라 과거에 있었던 일들을 평가하게 되거든.
내 소신껏 판단하는 거야!
그리고 세월이 흐른 뒤에도 오래도록 공감을 하면 좋은 역사책이라고 말할 수 있는 거지.
Good
사기
이런 점에서 《사기》는 훌륭한 역사책임에 틀림없어.
사기
《사기》가 중국 대표 역사책인 '24사'의 첫머리에 들어가 있는 것만 보아도 알 수 있어.
24사
24사는 중국 역대 왕조의 역사책을 대표하는 공식 역사책 24종을 모아 부르는 말이야!
중국 역사의 시작부터 한나라 무제 시대까지를 다루는 《사기》가 맨 앞에 있고 그 다음부터는 한 시대마다 한 종씩, 《전한서》, 《후한서》, 《삼국지》, 《진서》, 《남제서》…
사기
전한서
후한서
삼국지
진서
에고, 숨차. 이렇게 총 24종이야.
《사기》가 맨 앞에 나올 수 있는 이유는 다른 책들보다 앞선 시대를 서술한 때문이기도 하지만 무엇보다 역사책의 조건을 잘 갖추었기 때문이야.
역사적 조건
2
1
3
《사기》는 처음으로 역사책은 이래야 한다라는 본보기를 보여 주었고
유행창조!
사기
착
그 뒤에 씌어진 역사책, 특히 24사에 있는 나머지 23종의 책들은 다 그 전통을 따랐다고 보는 게 더 정확할 거야.
유행의 선두주자!
사기
전한서
후한서
삼국지

《사기》는 중국뿐만 아니라 중국과 문화 교류가 활발했던 우리나라에도 영향을 주었어.
사 기
현재 남아 있는 우리나라 역사책 중에서 가장 오래된 《삼국사기》라는 책이 있지?
삼국사기
김부식
그런데 이름을 가만히 보면 '삼국의 사기'라는 뜻을 가지고 있잖아?
삼국의
사기
이름뿐만 아니라 형식도 사기와 같은 기전체로 되어 있어.
삼국사기
뼈대?
《사기》가 24사의 맨 앞에서 중국의 공식 역사책을 대표하고 있지만,
선두
사기
24사
사실은 나머지 23종의 책들과 확실하게 구별되는 특징이 있어.
차이점
사기
뭔데?
후한서
전한서
나머지 책들이 모두 황제의 명령에 의해 만들어진 역사책인데 비해
당장 역사책을 만들어와!
《사기》는 개인이 만든 역사책이란 점이야.
개인!
임금의 명령으로 만든 역사책을 관청에서 편찬한 역사책이란 뜻의 '관찬 사서'
관찬사서
개인적으로 만든 역사책은 개인이 편찬한 역사책이란 뜻의 '사찬 사서'라고 하는데,
사찬사서
둘은 각각 장점과 단점이 있어.
길고
짧다!
일단 나라에서 만드는 관찬 사서는 능력 있는 여러 학자들이 함께 일을 하는데다
관찬사서

나라에 보관 중인 많은
자료들을 이용할 수 있기
때문에
자료
대개는 믿을 만한 역사책으로
평가받고 있어.
관찬 사서
신용도
쭉 쭉
반대로 사찬 사서는 책을 쓰는 개인의
능력이 부족해서 실수할 수도 있고
어라! 왜 안맞냐!
싹
역사
자료를 충분히 모으기도
쉽지 않기 때문에
에~ 고작 이거야!
웬만해서는 관찬 사서 만큼의
대우를 받기 힘들어.
푸대접
관찬
사찬
뻥
더구나 국가로부터 한 시대를 대표하는
공식 역사책으로 인정받기는
더욱 어렵겠지.
국가
관찬
그런데도 사찬 사서인 《사기》가
당당하게 중국의 공식
역사책으로 인정받을 수 있는
것은,
사기
중국
《사기》에 쓰인 자료가
제대로 된 것들이었고
진실
자료
사기
그런 자료들을 바탕으로 생생하게
역사를 그려낼 수 있었던
사마천의 역사가로서의 능력을 후세의
사람들이 인정했다는 뜻이지.
역사가
게다가 《사기》는 오히려
사찬 사서였기 때문에,
사찬
관찬 사서가 갖기 힘든
장점까지도 가질 수 있었는데
장점

그건 바로 자기가 가지고 있는 역사관을 끝까지 유지할 수 있었다는 거지.
흔들리지 않는 역사관
난 나의 길을 갈 뿐이야!
사 기
사기의 각 편에는 "태사공은 말한다" 라는 말로 시작하는 문단이 꼭 끝에 있는데
태사공은 말한다.
여기서 태사공이란 태사령이란 벼슬을 지낸 사마천 자신을 말해.
태사령
내 이름이니 잘 기억해둬!
모든 사건과 사람을 "내 생각은 이렇다" 라고 하며 일일이 평가하고 있는 거지.
무제 정치 30점
그런데 역사적 사건을 평가하는 사마천의 기준은
자기가 살던 한 무제 시대를 평가할 때도 전혀 흔들리지 않아.
흥! 그래도 10점이야.
사마천이 살던 무제 시대의 한나라는 겉에서 보기에 전성기라 할 수 있는 번영을 누리고 있었어.
한나라
번영
태평성대
창고마다 곡식이 흘러넘쳤고
빵
빵
만 땅
곡식창고
동전 뭉치는 너무 오래 쌓아두는 바람에 동전을 꿴 줄이 삭을 정도였다고 하니 말이야.
또 흉노를 멀리 쫓아내고

고조선을 멸망시키는 등
사방으로 영토를 넓히기도 했어.
무제
또 무제는 각지의 인재를 등용하여
관리로 삼고 백성을 괴롭히는
세력들은 엄격한 법으로 다스렸지.
법
인재등용
자연히 인구가 늘어나고 사람들은
황제의 덕을 높이 칭송하곤 했지.
하지만 사마천은
무제에 대해 할 말이
많았어.
전쟁이 잦다 보니 백성들의
생활이 날로 어려워만 갔거든.
쌀! 떨어 졌어!
쌀 독
그리고 엄격한 법률이 질서를 잡는 정도에
그치지 않고
법
필요 이상으로 백성들을 벌벌 떨게
만드는 수단으로 쓰이는 것도
보았거든.
법이다.. 도망가자!
법
《사기》에는
이런 무제의 정치를
사마천이 별로 좋게 여기지 않았다는 증거가
여기 저기에 나와.
사기
순리대로 처리하는 관리라는 뜻의
'순리 열전'에 나오는 5명의 관리들은
모두 진나라 이전의 사람들로 뽑으면서
순리열전
가혹한 관리라는 뜻의
'혹리 열전'에 나오는
혹리열전
12명의 관리들은
모두 한나라 사람으로
뽑았거든.
한나라
혹리열전

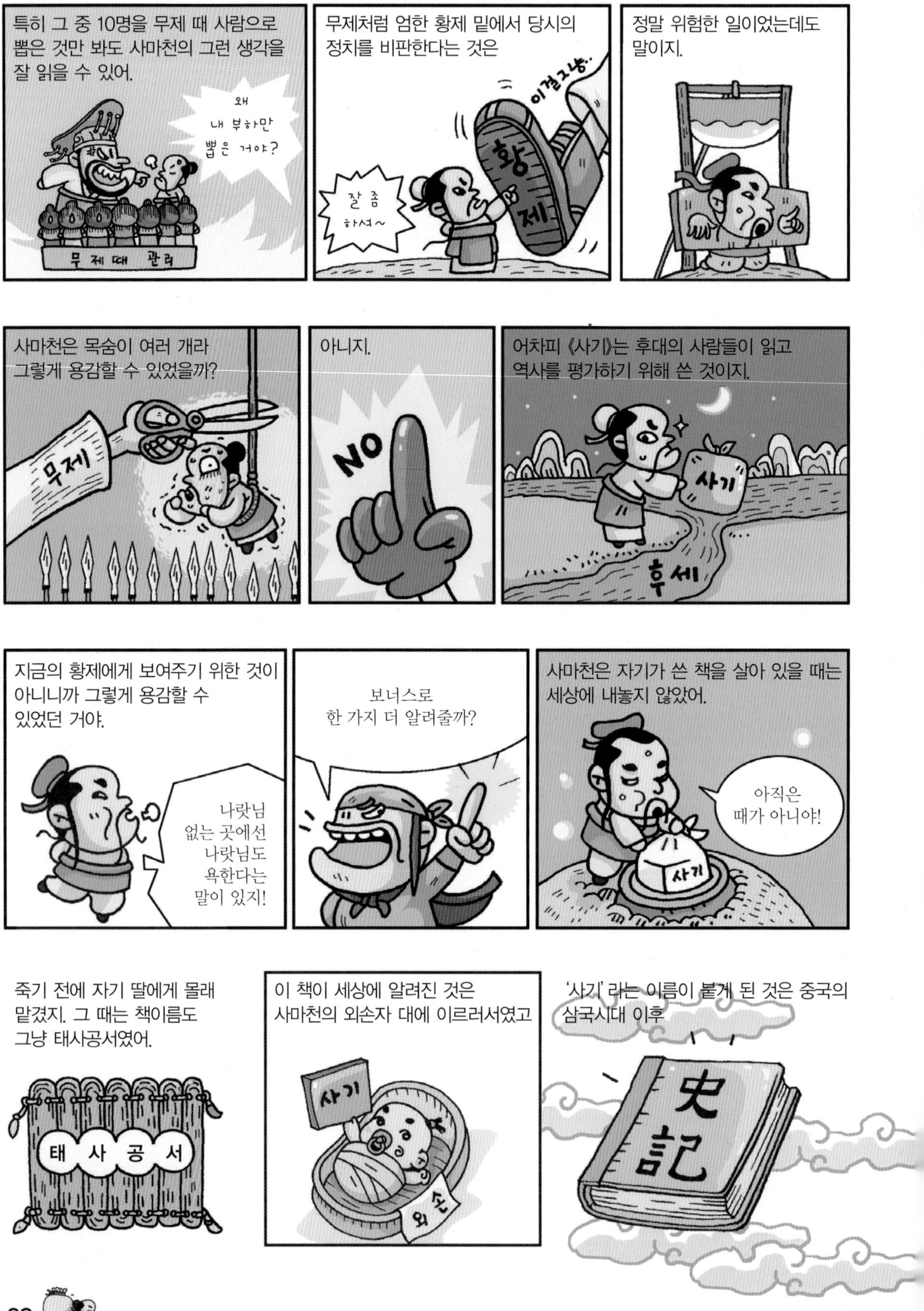
특히 그 중 10명을 무제 때 사람으로 뽑은 것만 봐도 사마천의 그런 생각을 잘 읽을 수 있어.
왜 내 부하만 뽑은 거야?
무제 때 관리
무제처럼 엄한 황제 밑에서 당시의 정치를 비판한다는 것은
이걸 그냥.
황제
잘 좀 하셔~
정말 위험한 일이었는데도 말이지.
사마천은 목숨이 여러 개라 그렇게 용감할 수 있었을까?
무제
아니지.
NO
어차피 《사기》는 후대의 사람들이 읽고 역사를 평가하기 위해 쓴 것이지.
사기
후세
지금의 황제에게 보여주기 위한 것이 아니니까 그렇게 용감할 수 있었던 거야.
나랏님 없는 곳에선 나랏님도 욕한다는 말이 있지!
보너스로 한 가지 더 알려줄까?
사마천은 자기가 쓴 책을 살아 있을 때는 세상에 내놓지 않았어.
아직은 때가 아니야!
사기
죽기 전에 자기 딸에게 몰래 맡겼지. 그 때는 책이름도 그냥 태사공서였어.
태 사 공 서
이 책이 세상에 알려진 것은 사마천의 외손자 대에 이르러서였고
사기
외손
'사기'라는 이름이 붙게 된 것은 중국의 삼국시대 이후
史記

즉, 책이 만들어지고 나서
300년이 훨씬 지난
다음부터야.
사기
역사책으로서 《사기》가 얼마나
중요한지 이제 알겠지?
사 기
그렇지만 《사기》의
진짜 매력은 다른 데에
숨겨져 있어.
뭔데요?
내가 이 책을 너희들에게
자신있게 소개하는 이유도
여기에 있지.
사기
이 책의
제일 큰 매력은 재미있어서
읽기에 부담이
없다는 거야.
같이
봐요!
킥
킥
황제로부터 장사꾼에
이르기까지
각계 각층
온갖 인물이
나온다는데
흥미롭지 않아?
많이
궁금해요!
일단 인물들도
다채로운 데다
다양성
사마천은 이런 인물 중심의
역사를 더욱 생생하게
전달할 수 있는 글쓰기
법을 알고 있었어.
대화체를 많이 쓰고
필요한 경우에는
같은 단어를 반복해서
대화체
주인공의 심리를 생생하게
전달하는 방법 같은 것들이지.
열전 제70편 '태사공 자서' 에서
사마천이 아버지의 유언을 듣는
장면을 한번 들여다볼까?
태사공자서

태사공(사마담)은 아들 천의 손을 잡고 눈물을 흘리면서 말했다.
"우리 조상은 주나라 왕실의 태사(역사 기록을 담당하는 관리)였다….
후로 집안이 기울더니 그 전통이 나에게서 끝나려나 보다.
너는 다시 태사가 되어 우리 조상이 하던 일을 이어야 한다.
지금 천자께서 천 년을 이어온 자격으로 태산에서 천지의 신께 제사를 드리려 하시는데
나는 따라가지 못하였다.
이것이 진정 운명인 것인가, 운명인 것인가!
내가 죽거든 너는 반드시 태사가 되어라.
태사가 되거든 내가 쓰려고 했던 것을 잊지 마라…."
천은 고개를 숙이고 눈물을 흘리며 말했다.
"소자가 비록 영리하지 못하나 아버님께서 기록한 것들을 빠짐없이 정리하도록 하겠습니다."
어때? 꼭 소설을 읽는 것 같지?
이런 생생한 서술 덕분에 사기를 읽다보면 자신도 모르게 책에 깊이 빠져들게 돼.
풍~덩
쿡쿡쿡… 보면 볼수록 재밌어!
그래서 사마천의 정치에 대한 생각, 역사에 대한 생각,
사
기
인간에 대한 생각에 고개를 끄덕이게 되고 인생이 무엇인가를 고민하게 되는 거지.
인
생..
마지막으로 《사기열전》 70편이 각각 어떤 이야기로 되어 있는지 간단하게 말해 줄게.
쿵
쿵
사기열전 70편?
많아도 참고 읽어 주길…

1. 백이 열전
2. 관안 열전
3. 노자 · 한비 열전
4. 사마양저 열전
5. 손자 · 오기 열전
6. 오자서 열전
7. 중니 제자 열전
8. 상군 열전
9. 소진 열전
10. 장의 열전
11. 저리자 · 감무 열전
12. 양후 열전
13. 백기 · 왕전 열전
14. 맹자 · 순경 열전
15. 맹상군 열전
16. 평원군 · 우경 열전
17. 위공자 열전
18. 춘신군 열전
19. 범수 · 채택 열전
20. 악의 열전
21. 염파 · 인상여 열전
22. 전단 열전
23. 노중련 · 추양 열전
24. 굴원 · 가생열전
25. 여불위 열전
26. 자객 열전
27. 이사 열전
28. 몽염 열전
29. 장이 · 진여 열전
30. 위표 · 팽월 열전
31. 경포 열전
32. 회음후 열전
33. 한신 · 노관 열전
34. 전담 열전
35. 번 · 역 · 등 · 관 열전
36. 장승상 열전
37. 역생 · 육고 열전
38. 부 · 근 · 괴성 열전
39. 유경 · 숙손통 열전
40. 계포 · 난포 열전
41. 원앙 · 조조 열전
42. 장석지 · 풍당 열전
43. 만석 · 장숙
44. 전숙 열전
45. 편작 · 창공 열전
46. 오왕비
47. 위기 · 무안후 열전
48. 한장유 열전
49. 이장군 열전
50. 흉노 열전
51. 위장군 · 표기 열전
52. 평진후 · 주보 열전
53. 남월 열전
54. 동월 열전
55. 조선 열전
56. 서남이 열전
57. 사마상여 열전
58. 회남 · 형상 열전
59. 순리 열전
60. 급 · 정 열전
61. 유림 열전
62. 혹리 열전
63. 대원 열전
64. 유협 열전
65. 영행 열전
66. 골계 열전
67. 일자 열전
68. 귀책 열전
69. 화식 역전
70. 태사공 자서
《사기열전》 70편은 이렇게 구성되어 있어.

어때? 어마어마하게 많지?
헉
헉

열전의 이름은 대부분 그 열전 안에 나오는 대표적인 인물을 따서 붙였어.
○○열전

대개는 사람 이름이지만 간혹 관직 이름을 쓴 경우도 있어.
관직

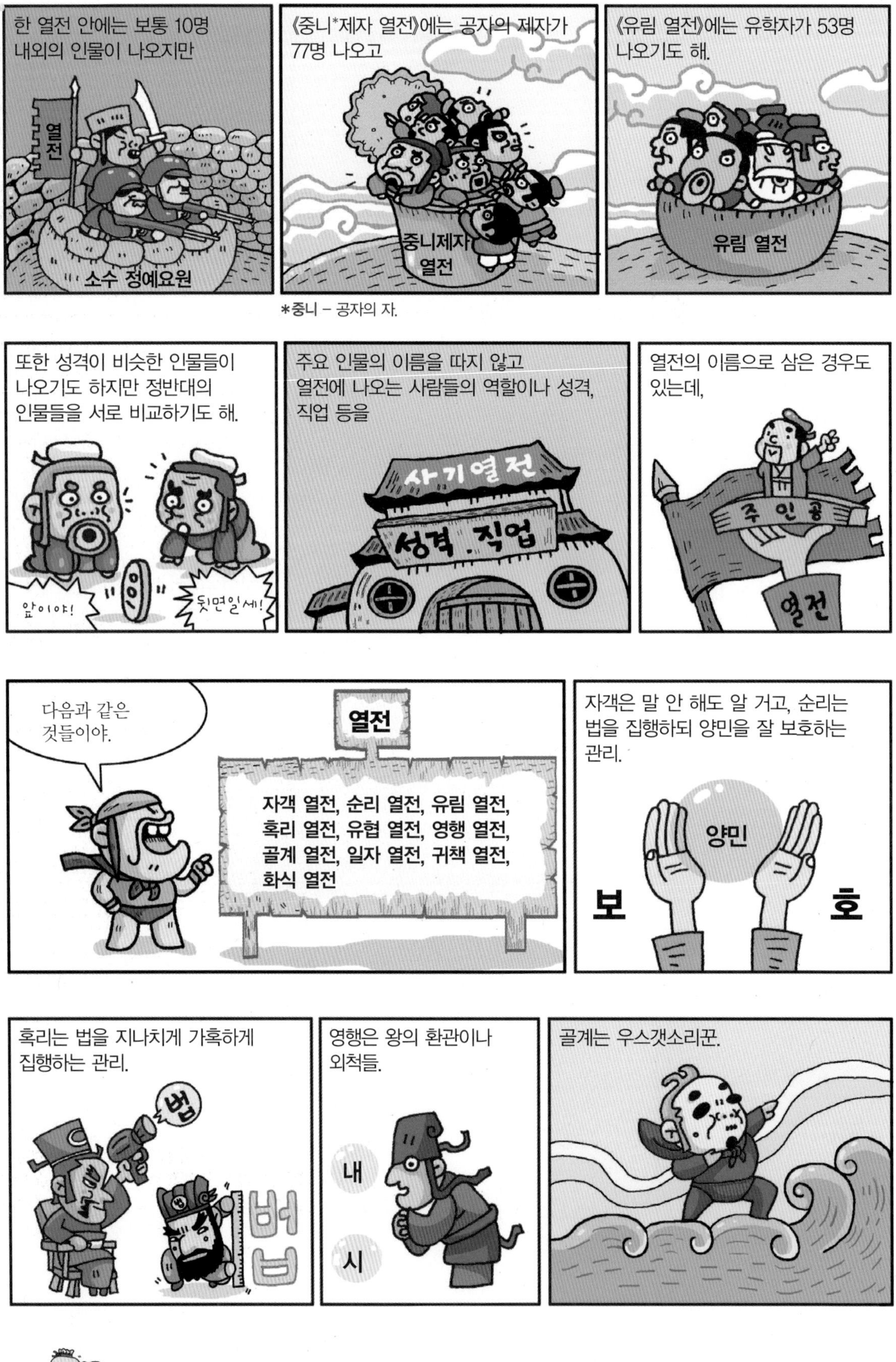
한 열전 안에는 보통 10명
내외의 인물이 나오지만
열전
소수 정예요원
《중니*제자 열전》에는 공자의 제자가
77명 나오고
중니제자
열전
《유림 열전》에는 유학자가 53명
나오기도 해.
유림 열전
또한 성격이 비슷한 인물들이
나오기도 하지만 정반대의
인물들을 서로 비교하기도 해.
앞이야!
뒷면일세!
주요 인물의 이름을 따지 않고
열전에 나오는 사람들의 역할이나 성격,
직업 등을
사기열전
성격 . 직업
열전의 이름으로 삼은 경우도
있는데,
주인공
열전
다음과 같은
것들이야.
열전
자객 열전, 순리 열전, 유림 열전,
혹리 열전, 유협 열전, 영행 열전,
골계 열전, 일자 열전, 귀책 열전,
화식 열전
자객은 말 안 해도 알 거고, 순리는
법을 집행하되 양민을 잘 보호하는
관리.
양민
보
호
혹리는 법을 지나치게 가혹하게
집행하는 관리.
법
법
영행은 왕의 환관이나
외척들.
내
시
골계는 우스갯소리꾼.

*중니 – 공자의 자.

일자와 귀책은 점쟁이이고 화식은 상업을 통해 돈을 번 사람들이야.
占
'남월 열전'에서 '서남이 열전'까지의 4편에는 주변 국가들의 이야기가 실려 있어.
주변국
그리고 드디어 마지막의 '태사공 자서'!
태 사 공 자 서
태사공의 자서전이란 뜻으로 사마천 자신의 전기야.
자서전
여기에는 자신의 집안 이야기, 역사가가 되기 위한 준비 과정과
헛둘
준비과정
역사
또 《사기》를 쓰게 된 동기와
아버지의 유지를 받들어야 돼!
동기
《사기》 130편에 대한 간단한 해설 등이 나와 있어서
사기 130편
《사기》 전체의 서문에 해당된다고 할 수도 있어.
사기
序文
이 정도면 《사기》가 어떤 책인지 좀 이해가 되지?
사기
어때? 이제 확실하게 한 교양 업글~된 것 같지?
그래도 궁금한 게 너무 많아요.
알았다 알았어! 그럼 내일 또 만나기로 하지 뭐.

제 2 장 사마천은 어떤 사람이었을까?

史記
사기
너희들 《사기열전》에 푹 빠졌나 보다. 일찍부터 기다리는 걸 보니.
빨리 이야기해 주세요!
오늘 이야기는 가슴 아프지만 감동적인 이야기가 될 거야. 자신이 세운 인생의 목표를 위해
죽는 것보다 더한 굴욕을 견딘 한 인물의 이야기거든.
굴욕
목표
누구냐고? 바로 《사기》를 지은 사마천이야. 사마천이 언제 태어났는지는 정확하게 알 수가 없어.
다만 기원전 135년이나 145년쯤이라고 짐작할 뿐이야.
기원전 135~145년
탄생
너무 오래된 일이라 잘 모르는 건 당연하다 생각되겠지만
호랑이 담배 피던 시절

그래도 사마천은 역사가인데
자기에 관한 역사도 자세히 남겨 두었더라면 얼마나 좋았을까 하는 아쉬움이 있어.
너희들도 자기에 관한 이야기를 상세히 적어 뒀다가 후손에게 물려주는 게 좋을 것 같지 않니? 혹시 알아?
죽고 나면 유명해져서 사람들이 너희들의 전기를 쓰려고 할지? 일기장에 남기는 것도 괜찮겠지.
일기장
사마천은 기원전 1세기 중반쯤에 지금의 중국 섬서성 한성현 근처에서 태어났어.
섬서성
응애
응애
가까이에는 '용문'이라는 황하의 나루터가 있었는데,
'등용문'이라는 유명한 전설이 만들어진 곳이야.
등용문
황하는 중국에서 가장 큰 양쯔강이 중국 땅이 되기 전까지는 중국에서 제일 길고 풍요로운 강이었어. 중국인의 역사가 이곳에서 시작되었으니까 중국 문명의 젖줄이라 할 수 있는 곳이지.
문명의 젖줄
황하의 물살이 용문 근처에 오면 엄청나게 빨라지는데 용문 부근이 협곡으로 되어 있어서 그렇대.
용문
그래서 제 아무리 큰 물고기라 하더라도 그 곳을 오르기는 정말 힘들었는데,
어려움을 뚫고 일단 다 오른 물고기는 용으로 변했다나 봐. 여기에서 생긴 말이 바로 '등용문'이야.

등용문? 처음 듣는데요?
물고기가 용문을 오른 것처럼
어떤 사람이 어려운 관문을 통과해서 출세를 눈앞에 두고 있을 때 쓰는 말이지.
사법고시 통과 출세!
국가고시
검사
사마천의 아버지 사마담은 용문에서 농사를 짓고 목축을 하던 사람이었어.
그는 조상들이 대대로 주나라 왕실의 태사를 지냈었다는 사실을 언제나 자랑스럽게 생각했어.
태사
가문의 영광!!
'태사'란 천문 관측과 역사 기록을 담당하던 관리를 말해.
천문을 담당하는 일은
땅을 다스리는 일 중에서 가장 중요한 일이다.
천문 관측이, 해, 달, 별 같은 천체를 관찰하고 달력을 편찬하는 일 같은 것을 말한다는 것은 알고 있지?
옛날 중국 사람들은 하늘에 있는 천체들 사이의 질서를 그대로 땅에 옮겨 놓은 것이 바로
사람들 사이의 질서, 즉 세상의 질서이기 때문에 하늘의 변화를 잘 알아야 인간 세상을 제대로 다스릴 수 있다고 여겼는데
태사
사마담도 같은 생각을 가지고 있었어.
우주
그만큼 하늘의 움직임을 관찰하는 태사의 일이 중요하다고 여긴 거지.
천문을 담당하는 태사는 역사 기록까지 책임지게 되어 있었어.
역사

사마담은 농사를 지으면서도 조상들의 학문을 계승하기 위해 꾸준히 노력했어.
공부
스승을 찾아 천문에 대해 배우고
주역
노장
스승 찾아 삼만리
노장 사상이나 주역 같은, 자연의 변화를 설명하는 사상에 대해서도 공부했어.
노장
주역
사마천이 여섯 살 되던 해 무제의 부름을 받아 사마담은 태사령이란 관직을 얻었어.
관직 임명
기다려라! 길은 열릴것이니!
사마담은 조상이 하던 중요한 일을 맡게 되었다는 감격에 열심히 태사령의 일을 감당했어.
닦고~
쓸고~
그런데 일을 하면 할수록 자신에게 맡겨진 일이 중요한 일이 아니라는 생각을 하게 되었어.
달력
이까짓 것!
당시 태사령의 임무는 새 달력을 만들고,
8
1 2 3 4 5
6 7 8 9 10 11 12
13 14 15 16 17 18
19 20 21 ......
나라의 제사나 왕실의 결혼식 등을 위해 좋은 날을 택하고,
길일
흉일
길일
흉일
꽝
그 해의 자연재해를 기록하는 일 같은, 약간은 단순한 일들이었거든.
천문 관측이란 세상을 다스리는 방향을 제시하는 일이라는 자부심을 가지고 있는 사마담은
방향제시
달력이나 만들고 행사 날이나 잡는 일에 결코 만족할 수가 없었던 거야.
달력
결혼
행사
나는 태사다. 지금의 주어진 일만 한다면, 별자리를 보고 점을 치는 점쟁이랑 뭐가 다르겠어?

그래서 사마담은 역사를 쓰는 일에 매달리게 되었어.
역사
역사책을 쓰기 위해 자료를 모으고 논문도 쓰는 한편,
난 나의 길을 갈 것이야!
아들인 천의 교육에도 신경을 썼어.
잘 부탁 드립니다.
요즘 말로 거의 바짓바람 수준이었다고나 할까?
하긴 워낙 어렸을 때부터 아들이 학문에 남다른 재능을 보이기도 했어.
천재
열 살 때에 이미 고문을 외울 정도였으니까.
천재
춘추
고문이란 오래된 옛날 문자로 씌어진 책을 말하는데
열 살짜리가 그것을 읽을 수 있었다는 것은 정말 놀라운 일이었다고 해. 신동이 따로 없었던 셈이지.
신동
천의 나이 17, 8세가 되자
청소년
아버지는 당시의 대유학자 동중서의 제자로 아들을 들여보냈어.
동중서
유학보다는 있는 그대로의 자연을 중시하는 노장 사상에 더 익숙한 사마담이었지만
노장 사상
아들에게는 최신 학문인 유학을 가르쳐야겠다고 마음먹은 거야.
유학
노장

무제가 유교를 국교로 삼으면서 유학이
유교
유교는 모든 학문의 기본이다!
새로운 학문의 경향으로 떠오르고 있었거든.
그때 이후 거의 2000년 동안 유학은 중국에서 가장 중요한 학문이 되었어.
유학
관리가 되려는 사람은 누구나 유학을 공부해야 했고
유학
관직
왕이나 관리가 통치를 할 때도 유교의 가르침에 따라야 했어.
통치
유교
통치자
유학이 중국의 중요한 전통으로 자리 잡게 된 거지.
유학
동중서는 그런 중국의 전통을 세우는 데 가장 크게 공헌한 사람이야.
유학
우리가 학교에서 국어, 역사, 수학 등을 배우는 것처럼
국어
역사
수학
《시경》, 《서경》, 《춘추》 같은 유교의 경전들을 과목으로 만들고, 각 경전을 가르치는 박사를 두어 인재를 기르도록 무제에게 건의한 사람이 바로 동중서였거든.
시경
서경
춘추
나라를 바로 세우려면 유교를 가르쳐야 합니다.
동중서는 사마천이 새로운 학문을 배우기에 딱 알맞은 스승이었던 거지.
절 제자로 받아 주십시오.
스승
동중서는 여러 유교 경전 중에서도 특히 《춘추》를 중요하게 여겼어.
춘추
《춘추》? 어디서 많이 듣던 책인데?
1장에서 들었잖아!

그래! 맞아!
공자가 썼다고 하는
바로 그 노나라의
역사책이야.
공자

사마천이 《사기》를 쓸 때 맨 처음
본보기로 삼은 책이지.
춘추

《춘추》는 노나라 역사에서 일어난
옛 일들을 하나하나 적어
춘추

천자나 제후라도 옳은 것은 옳다고 하고 잘못된 것은 잘못 되었다고 함으로써 통치자의 길이 어떠해야 하는지를 보여 주기 위해 쓴 책이야.

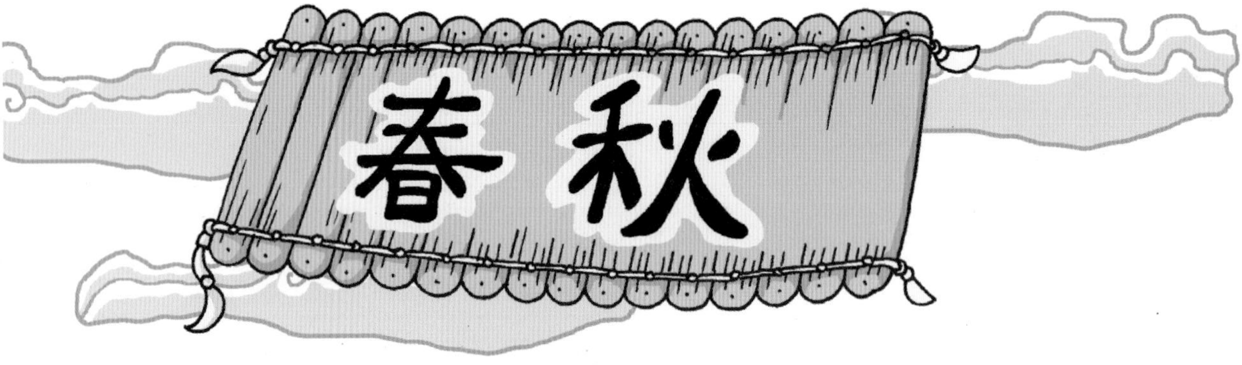
春秋

이 때 스승으로부터 배운 이야기는
사마천이 《사기》를 쓸 때에 큰 영향을
끼쳤어.
사기
춘추

사마천은 《사기》에서 모든
사건과 사람들의 옳고 그름을
일일이 평가하고 있거든.
춘추

스무 살이 된 사마천은 지금의
후베이, 후난, 저장, 산둥, 안후이,
허난성을 둘러보는 대여행을
떠났어.
안후이
후베이
허난성
후난

이 영역들은 당시 한나라가 차지하고 있던 지역을 거의 다 포함한 것이니까 일종의 국토 대순례를 한 셈이야.

국토순례
한나라

오늘날에도 넓은 중국을 여행하는 것은 보통
힘든 일이 아닌데, 탈 것도 제대로 없었던
기원전 시대에
중국답사

그 넓은 지역을 다 둘러보는 데에는 상상도 할 수 없는 어려움이 따랐을 거야.
나이 스무 살, 관직에 뜻을 둔 젊은이라면 한참 공부에 매달려 있어야 할 때였지.
공자 왈~
고시촌
맹자 왈~
그 당시 중국에서도 지금 우리나라처럼 관리가 되려면 공무원 시험을 봐야 했거든.
시 험
관리
당연히 사마천도 죽어라고 공부에만 매달려 있어야 할 때였는데
공자 왈...
시험 안 보고 공무원 될 수는 없나?
이런 중요한 시기에 책을 덮고 천하를 도는 국토 순례에 나섰으니
그런 일은 아버지의 도움과 허락 없이는 절대로 불가능했을 거야.
여행 만큼 좋은 스승은 없다!
사마담의 교육열로 본다면,
망설이는 사마천을 나무라며 당장 떠나라 호통을 쳤을 것 같기도 해.
빨리 떠나!
왜냐? 사마담은 역사책을 쓰려는 원대한 꿈이 있었고
또 아들이 관리가 된다 하더라도 보통의 관리와는 다른
관 리
특별한 일을 하는 사람이 되기를 바랐거든.
특별한 일
사마천이 스무 살이 되던 해는 사마담이 태사령이 된 지 10년 정도가 지났을 때였어
10년이면 강산도 변한다는데

그동안 궁중에 모아둔 책과
공식 문서들도 대충 훑어 보았고
자
료
쓰려고 하는 역사책의 윤곽도
어느 정도는 잡아두었겠지.
역사의 밑그림
하지만 글자로 된 자료만으로
역사를 쓰기에는 문제가 있었어.
ㅅ ㄴ ㄹ ㅂ ㄷ ㄱ
백문이 불여일견*이란 말이 있지?
백날 책만 본다고 될 일이 아니다!
백 번 듣는 것이 한 번 보는
것보다 못하다는 말!
백문이 불여일견
자료에 적힌 역사적 사건을 제대로
이해하려면 현장에 직접 가보지 않고는
이해하기 힘들다!

*백문 불여일견 – 일백 백(百) 들을 문(聞) 아니 불(不) 같을 여(如) 한 일(一) 볼 견(見)

이렇게 어떤 사실을 확인하기 위해
현장을 직접 가보는 것을 답사라고 해.
답사
역사나 지리를
공부하기 위해서는
반드시 필요한
일이지.
그러나 사마담은 관직에 있는 몸,
따로 시간을 낼 수 없었을 거야.
결국 아들에게 그 일을
대신 맡겼겠지.
부탁하마!
역사가인 아버지 밑에서 자란 아들이니
직접 가서 보는 것만큼 제대로 보고 와서
말해 줄 거라고
믿었을 거야.
콩심은 데
콩나고
팥심은 데
팥난다!
콩
팥
콩
팥
또 체험학습이야말로 훗날 아들이
역사가가 되는 데 밑거름이 되지
않겠어?
역사가
체험학습
사마천이 천하를 여행하는
일은 결코 만만치가 않았어.

몇몇 지방에서는 엄청난 곤란을 겪기도 했어.
그러나 2~3년은 충분히 걸렸을 여행에서 사마천은 정말 많은 것을 얻었어.
산 경험
새로운 지식
현장의 목소리
생생한 역사의 현장을 발로 누비면서
역사가 무엇인지 다시 한 번 생각해 볼 수 있었거든.
역사는 흘러…
역사
전설 시대 최고의 임금으로 칭송받는 순임금이 묻힌 산에도 가보고
홍수를 잘 다스려 하나라의 임금이 된 우임금이 죽어서 들어 갔다는 동굴도 가 보았어.
월나라의 도읍지를 찾아가 월나라 왕 구천이 쓸개를 매달아 놓고
자나 깨나 그것을 핥으며 복수의 기회를 노렸다는 옛이야기를 되새기고
쓸개
카악.
퉤엣 퉤엣
노나라의 수도를 찾아가
어서 오세요
노나라
노
공자의 가르침이 어떻게 그 땅에 남아 있는지도 살폈어.
유교의 근본은 효다!
공자
또 각 지역에 전해오는 전설이나 노인들의 경험담,
어떤 사건이나 사람에 대한 지방 사람들의 평가와 같이, 현장에 가지 않으면 도저히 얻을 수 없는 자료들도 모을 수가 있었지.
삐오
삐오

그 모든 것들이 훗날 사기를 쓰는 중요한 밑천이 되었으니
사기
경험
젊어서 고생은 사서도 한다는 말이 딱 들어 맞는다고나 할까?
여기 돈! 제가 할게요!
엥?
여행에서 돌아온 후 얼마 되지 않아 사마천은 관직에 나가게 되었어.
관직
황제를 호위하는 낭중이라는 직책이었어.
별로 높은 자리는 아니었지만
늘 황제의 곁에 있어 황제의 눈에 띌 수 있다는 장점 때문에
보디가드?
많은 젊은이들이 노리는 자리였어.
낭중은 아주 높은 관리이거나 부자인 아버지를 둔 사람만이 들어갈 수 있던 자리였지만
낭중
돈이 모자라~
돈
나도 저거 줘!
마침 무제 때에 성적에 따라 관리를 뽑는 제도가 생겨
성적순
흠!
덕분에 사마천도 그 자리를 차지할 수 있었던 것 같아.
흠…
실력으로 당당히 모두가 부러워 하는 관직에 오른 사마천.
황제를 바로 곁에서 호위하는 젊은 엘리트!
바싹~
넘 달라 붙지 마!

더구나 자신이 모시는 황제는 하늘이 낸 성인이라는 말까지 듣는 무제였으니…
싹
오빠~
싹
아마 이 무렵 사마천의 자신감은 하늘을 찌르고도 남을 정도가 아니었을까?
낭중이 되어 황제를 모신 지도 어언 12년, 사마천의 나이 35살이 된 때였어.
황제의 명령으로, 새로 중국땅이 된 서남부 지역을 시찰하고 돌아오던 사마천은
아버지가 위독하다는 소식을 들었어.
전보
서신
아버지는 천지의 신께 제사를 드리기 위해 황제를 모시고 태산으로 가던 길에
태산
갑자기 병이 나서 중간에 남게 된 거였어.
죽음을 눈앞에 둔 사마담이 한걸음에 달려온 아들의 손을 잡고
으….
눈물을 흘리면서 유언하던 장면은 1장에서 얘기했지?
아버지 절 두고 가시면 안 됩니다!
지금 천자께서 태산에서 천지의 신께 제사를 드리려 하는데 나는 따라가지 못하였다. 이것이 진정 운명인 것인가.
사마담은 30년 가까이 태사령에 있으면서 수많은 제사를 준비해 왔어.

특히 무제는 명산에서 제사 지내는 일을 매우 중요하게 여겼어.

더구나 태산에서 드리려는 제사는 그동안의 제사들과는 비교할 수 없을 만큼 중요한 의미가 있었어.

태산
'태산이 높다 하되 하늘 아래 뫼이로다'라는 시조에 나오는 산으로 중국 사람들이 아주 신성시 하는 산이야.

진시황 알지? 병마용이라고, 무덤에 실물과 꼭 같은 군대를 만들어 묻은 진나라의 왕 말이야.

그 진시황은 태산에서 제사를 지내면서 다음과 같은 말을 했어.

천지의 신에게 제사를 올릴 수 있어야 진정한 천자다.

중국에서 '천자*'는 '하늘의 아들' 즉 신의 아들이란 뜻이야.

*천자 – 天子

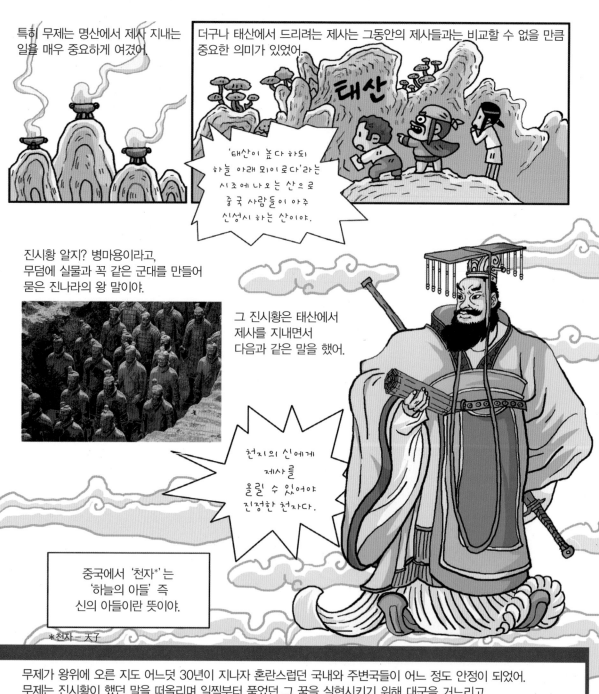

무제가 왕위에 오른 지도 어느덧 30년이 지나자 혼란스럽던 국내와 주변국들이 어느 정도 안정이 되었어. 무제는 진시황이 했던 말을 떠올리며 일찍부터 품었던 그 꿈을 실현시키기 위해 대군을 거느리고 태산을 향해 출발했어.

그러나 사마담은 갑자기 병이 나서 중간에 행렬에서 떨어져 나오게 된 거야.
낙오
'이것이 진정 운명인 것인가' 라는 한탄은 바로 이런 상황에서 나온 것이야.
사마담에게는 다른 안타까운 문제가 또 있었어.
자신이 생각하고 있던 진정한 태사의 역할, 즉 역사책을 쓰는 사명을 완수하지 못한 것이 더 큰 문제였던 거야.
역
사
책
그래서 아들에게 자기의 뒤를 이어 꼭 태사가 되고
유언
역사책을 완성해 달라고 부탁을 한 거야.
역 사
그러면서 이런 말을 덧붙였어. "큰 효란, 이름을 후세에 떨쳐 부모를 빛나게 하는 것이다."
호랑이는 죽어 가죽을 사람은 죽어 자식을 남긴다….
사마천은 아버지의 유언을 잠시도 잊지 않았어.
유언
콱
그렇지만 현실적으로 낭중의 지위에 있었기 때문에 역사책을 준비하고 쓸 시간이 전혀 없었어.
역사책… 중열
유언
중열
뭐라 궁시렁 거리는 거야
사마담이 세상을 떠난 3년 후 사마천은 38살의 나이로 태사령이 되었어.
태사령
그는 태사령이 되어 태초력이라는 달력을 만드는 일에 참여를 했어.
태초력
달력의 기준
이 달력은 굉장히 정확해서, 이후 중국에서 사용된 여러 역법의 기준이 되었어.

이것으로 만족 못 한 사마천은 아버지의 유지를 받들어 역사를 쓰기 위한 자료 수집에 들어 갔어!
자료 수집
태사령이란 자리는 왕실의 도서관이나 궁중의 공식 문서들을 쉽게 볼 수 있었거든.
왕실도서관
많은 자료가 필요해!
물론 사마담이 모아둔 자료와 사마천이 천하를 돌면서 수집한 자료들과 현지의 노인들로부터 직접 들은 이야기들도 있었어.
아버지 유품
이 모든 것들이 역사책의 자료로서 차곡차곡 모아졌어.
이 정도면 어느 정도 준비는 끝난 것 같고…
체험자료
기증자료
아버지 유품 자료
도서관 자료
하지만 죽간에 씌어진 산더미 같은 자료를 앞에 두고 틈나는 대로 그 일에 매달려 봤지만
나라 일을 하면서 하는 일이라 성과도 없이 시간만 후딱후딱 지나갔어.
6
7
5
6
그러다… 태사령이 된 지 9년 쯤 되던 해에
사마천의 운명을 하루 아침에 바꾸어 버린 사건이 일어났어.
삐오~
삐비
오
'이릉 사건' 이라는 거야.
이릉 사건
이릉은 흉노와의 전쟁에서 큰 공을 세운 이광 장군의 손자였어.
흉노족은 진나라, 한나라 시대에 중국 북쪽에 살면서 중국과 끊임없이 다투던 유목 민족이야.
어딜 침범하느냐!
무슨 소리! 여긴 원래 우리 땅이야!

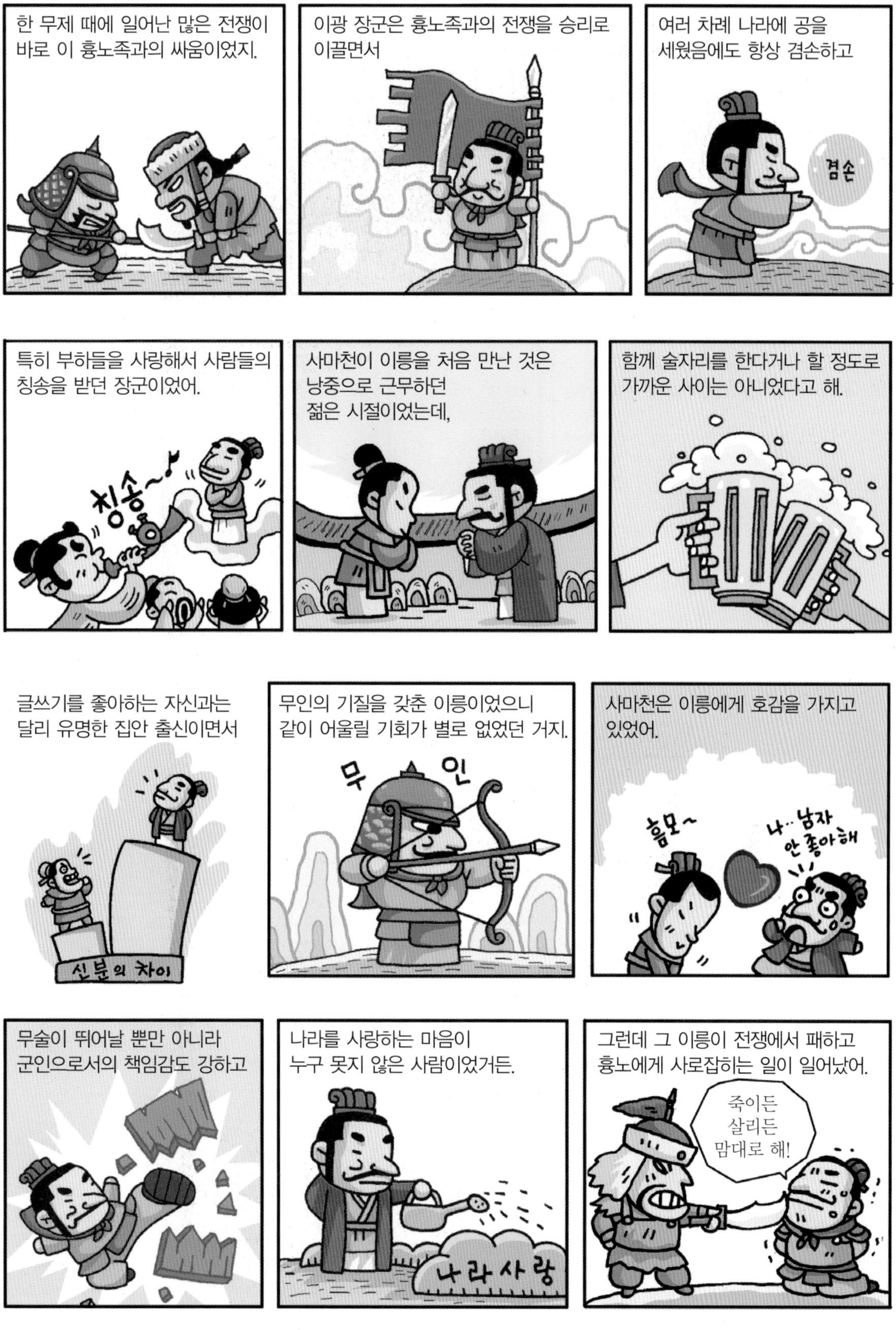
한 무제 때에 일어난 많은 전쟁이 바로 이 흉노족과의 싸움이었지.
이광 장군은 흉노족과의 전쟁을 승리로 이끌면서
여러 차례 나라에 공을 세웠음에도 항상 겸손하고
겸손
특히 부하들을 사랑해서 사람들의 칭송을 받던 장군이었어.
칭송~♪
사마천이 이릉을 처음 만난 것은 낭중으로 근무하던 젊은 시절이었는데,
함께 술자리를 한다거나 할 정도로 가까운 사이는 아니었다고 해.
글쓰기를 좋아하는 자신과는 달리 유명한 집안 출신이면서
신분의 차이
무인의 기질을 갖춘 이릉이었으니 같이 어울릴 기회가 별로 없었던 거지.
무인
사마천은 이릉에게 호감을 가지고 있었어.
흠모~
나.. 남자 안 좋아해
무술이 뛰어날 뿐만 아니라 군인으로서의 책임감도 강하고
나라를 사랑하는 마음이 누구 못지 않은 사람이었거든.
나라사랑
그런데 그 이릉이 전쟁에서 패하고 흉노에게 사로잡히는 일이 일어났어.
죽이든 살리든 맘대로 해!

이릉은 보병 5천 명을 이끌고 적진의 가장 깊숙한 곳에 들어 갔지만
와아
결국 흉노의 주력 기마병 3만에 막혀 붙잡혀 버린 거야.
흉노족은 유목민족으로 태어날 때부터 말과 함께 사는 사람들이니
한잔….
O.K
군대도 당연히 기마병이고, 말을 타고 전쟁하는 기술도 대단한 사람들이었어.
요걸 그냥 확~
그런 흉노를 상대로 이릉은 보병을 끌고 갔으니…
열라 뛰는 거야
이릉이 패배하였다는 소식에 한나라 신하들은 앞 다투어 이릉을 비난하기 시작했어.
처음부터 되지도 않을 일을 무모하게 추진하더니
싸우다 죽지도 못하고 적에게 항복한 비겁한 놈이다.
방금 전까지만 해도 이릉이 적진을 뚫었다는 소식을 듣고 황제 폐하 만세를 외치던 신하들이
그렇게 갑자기 변하는 것을 본 사마천은 큰 충격을 받았어.
쿵
임금의 화가 자기에게 미칠까 봐 하나같이 임금의 눈치만 살피면서
이릉을 잡아 들이소서!
이릉을 욕하는 신하들이 황당하기 짝이 없었던 거지.
그는 역적입니다!
이릉의 사람 됨됨이로 보아 결코 항복하고 싶어서 항복한 것이 아니라는 것을 알 텐데도 말이야.
사마천은 무제가 자기에게 의견을 물었을 때,
그대 생각은 어떤고?
이릉은 나라가 위급할 때에

자기 한몸을 돌보지 않고 달려나갔으니 정말 기특한 일 아닙니까?
누구도 흉내낼 수 없는 작전으로 신속하게 적의 최전방을 격파했으니 또한 대단한 일 아닙니까?
화살도 떨어지고 구원병도 없는 상태에서도 끝까지 최선을 다해 싸웠으나
숫자가 부족하여 이기지 못한 것일 겁니다.
어쩔 수 없이 적에게 사로 잡혔으나 언젠가는 다시 기회를 얻어
나라를 위해 큰 일을 해낼 것 입니다.
뭣이라!
그렇잖아도 전쟁에 졌단 소식에 화가 나 있던 무제는
다시 한번 기회를 줘야 합니다.
이릉을 감싸는 사마천의 말에 더욱 화가 났어. 사마천은 그 길로 감옥에 갇히게 되었어.
폐하!
당장 처넣어!
그런데 엎친 데 덮친 격으로 나쁜 소식이 날아들었어.
쿵
쿵
큭!
흉노에게 사로잡힌 이릉이 한나라와 싸우기 위해 흉노의 군대를 훈련시키고 있다는 소식이었어.
뭐야!
헛소문
그 소문은 나중에야 잘못된 것으로 밝혀졌지만, 당시 무제는 화가 머리끝까지 났어.
내 이것을 당장 처 죽이리라!

이릉의 가족은
그 자리에서 처형을 당했고
이릉을 변호했던 사마천에게도
사형 선고가 내려졌어.
판관
탕
탕
죄인 사마천 사형!
당시 사형을 선고받은 자가 죽음을
면할 수 있는 방법은 두 가지.
살고 싶으면 둘 중 하나를 골라 잡아.
?
돈
궁형
하나는 돈 50만 전을 내는 것,
50만전
다른 하나는 궁형을 받는
것이었어. 궁형은 남자의
성기를 잘라내는 형벌이야.
싹뚝
사마천은 죽을지 살지를 선택해야
했어.
생
사
생사의 갈림길
그러나 부잣집 출신도 아닌
사마천이 50만 전을 마련하는
것은 불가능했어.
내 어디서 이 많은 돈을 구하나?
순리대로 하면 죽을 수밖에 없는
상황이었지만
사마천은 죽을 수도 없었어. 아니,
죽어서는 안 될 이유가 있었어.
아버지 때부터 대를 이어 품어
온 소망, 역사책을 쓰는 일이
아직 끝나지 않고 있었거든.
역사
그렇다면 나머지 길은 궁형을
택하는 것인데 그건 쉬운 일이
아니었어.
궁형
상처 부위의 통증과 염증 때문에
생명이 위태롭기도 하지만

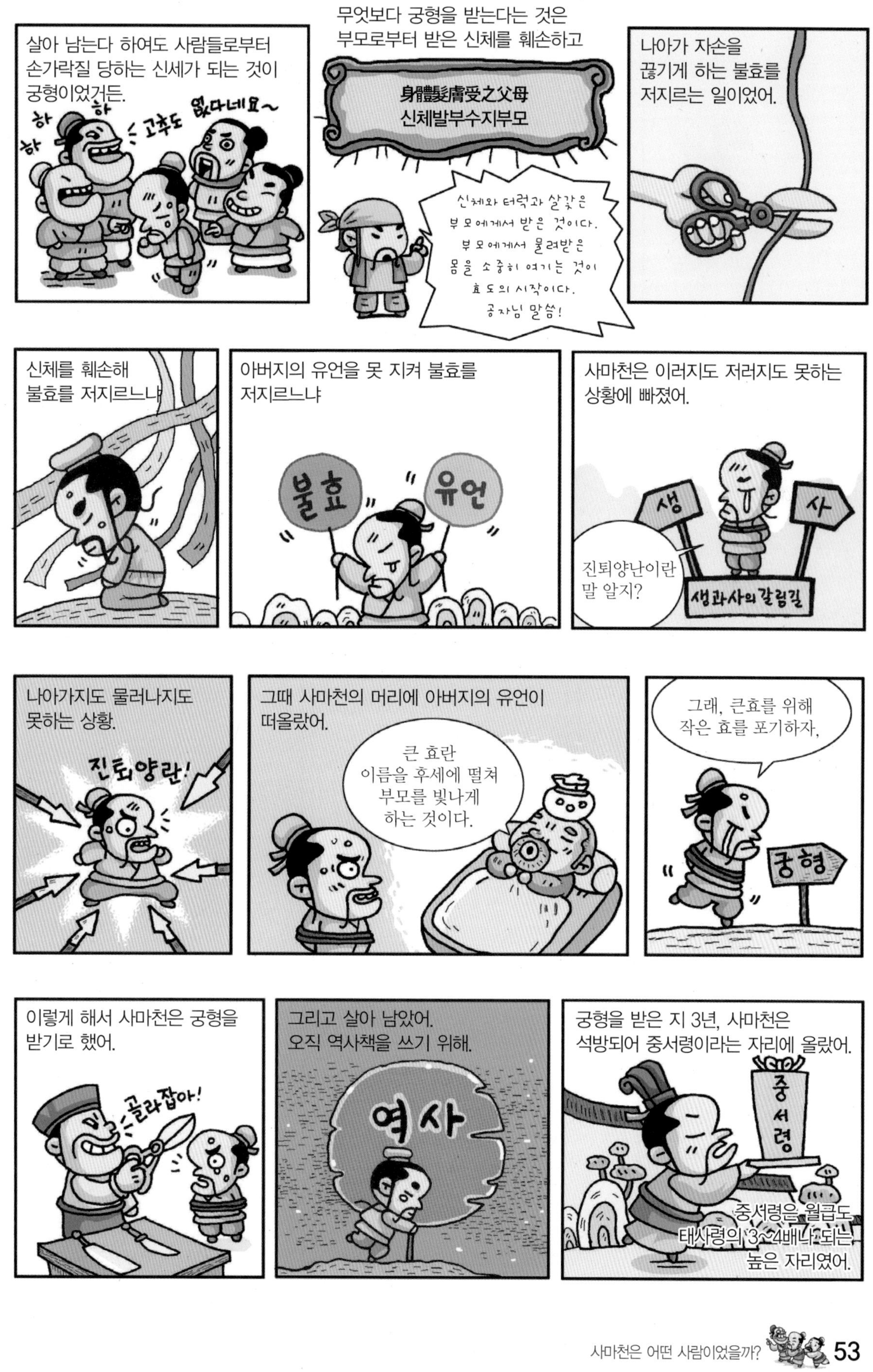
살아 남는다 하여도 사람들로부터
손가락질 당하는 신세가 되는 것이
궁형이었거든.
하 하 하
고추도 없다네요~
무엇보다 궁형을 받는다는 것은
부모로부터 받은 신체를 훼손하고
身體髮膚受之父母
신체발부수지부모
신체와 터럭과 살갗은 부모에게서 받은 것이다. 부모에게서 물려받은 몸을 소중히 여기는 것이 효도의 시작이다. 공자님 말씀!
나아가 자손을
끊기게 하는 불효를
저지르는 일이었어.
신체를 훼손해
불효를 저지르느냐
아버지의 유언을 못 지켜 불효를
저지르느냐
불효
유언
사마천은 이러지도 저러지도 못하는
상황에 빠졌어.
생
사
진퇴양난이란
말 알지?
생과사의 갈림길
나아가지도 물러나지도
못하는 상황.
진퇴양란!
그때 사마천의 머리에 아버지의 유언이
떠올랐어.
큰 효란
이름을 후세에 떨쳐
부모를 빛나게
하는 것이다.
그래, 큰효를 위해
작은 효를 포기하자,
궁형
이렇게 해서 사마천은 궁형을
받기로 했어.
골라잡아!
그리고 살아 남았어.
오직 역사책을 쓰기 위해.
역사
궁형을 받은 지 3년, 사마천은
석방되어 중서령이라는 자리에 올랐어.
중서령
중서령은 월급도
태사령의 3~4배나 되는
높은 자리였어.

중서령은 궁중의 여러가지 행사를 맡아보는 직책이었는데,
환 관
궁중에서 생활하는 특성상 거세된 남자
즉 성기를 없앤 남자들만 오를 수 있는 자리였어.
그래 맘껏 비웃어라!
환관
킥킥
무제는 사마천의 글재주를 높이 사 그를 비서관으로 활용하고자 한 거야.
네 재주가 아까워 용서해주는 거다!
황제의 최측근에서 일하게 되었으니 출세길이 활짝 열렸다고 할 수도 있겠지?
흠
출세
그가 궁형을 받았을 때는 돌아보지도 않던 사람들이
갑자기 친한 척하며 접근하기도 했을 거야.
그러나 사마천은 늘 우울했어.
나는 살아 있어도
당
퐁
살아 있는 게 아니다.
앞에서는 두려워 하는 척하지만 돌아서면 사람 구실도 못하는 놈이라고 비웃는 사람들.
사마천은 하루에도 창자가 아홉 번씩이나 뒤틀리고
흑
흑
집에 있어도 무언가에 홀린 것처럼 정신이 어지러움을 느꼈어.
그럴 때마다 자신이 살아남은 이유를 생각하고 또 생각했어.
난 아버지의 유지를 받들어야 한다.

옳은 말을 했기 때문에 궁형을 당해 지옥에 떨어지고,
그 때문에 다시 높은 자리에 오를 수 있었던 뒤틀린 자신의 운명에 대해서도 생각했어.
뒤틀린
운명
옛날부터 뛰어난 사람은 많았지만 전해지는 사람은 많지 않다.

공자는 재난을 당해서 《춘추》를 짓고,
춘추
굴원은 쫓겨난 후 《이소》*를 지었다.
이소
좌구명은 눈이 먼 후 《국어》**를 남겼고
국어

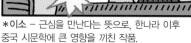

***이소** – 근심을 만난다는 뜻으로, 한나라 이후 중국 시문학에 큰 영향을 끼친 작품.

****국어** – 중국 춘추 시대 8국의 역사를 나라별로 적은 책.

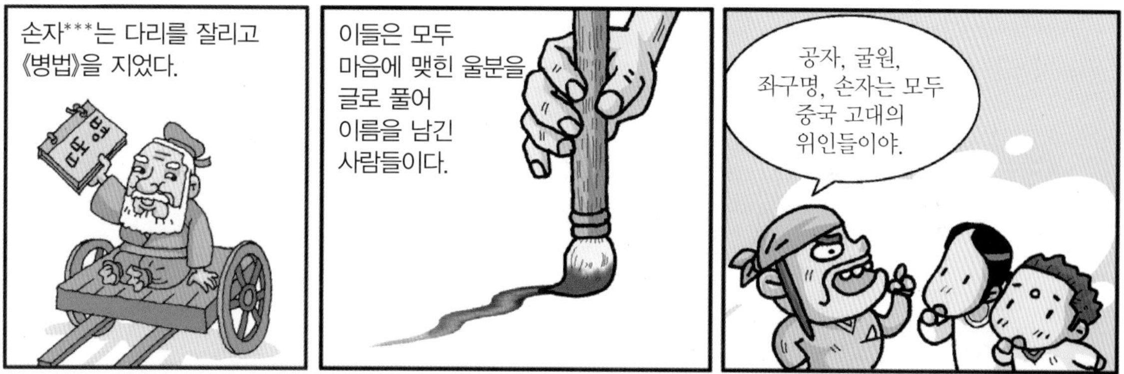

손자***는 다리를 잘리고 《병법》을 지었다.
병법
이들은 모두 마음에 맺힌 울분을 글로 풀어 이름을 남긴 사람들이다.
공자, 굴원, 좌구명, 손자는 모두 중국 고대의 위인들이야.

*****손자** – 손무와 그의 후손 손빈. 둘다 '손자'라고 하는데 여기서는 방연의 시기로 다리가 잘린 손빈을 말한다.

사마천은 마음속의 울분을 책 속에 모두 쏟아놓겠다는 각오로 열심히 역사책을 쓰는 일에 매달렸어.
저 집은 불이 꺼지지가 않아!
온 몸이 뒤틀리는 수치심 속에서
수치심
목숨을 이어가는 이유가 바로 거기에 있었기 때문이야.
내가 살아가는 이유를 남겨야 한다.

그로부터 8년 뒤
8년후
사마천의 나이 56살이 되었을 때에 《사기》 130편이 완성되었어.
드디어 완성이다!
사기 130편 완성
사마천이 태초력이라는 달력을 완성한 이후부터 《사기》를 쓰기 시작했다고 보면 14년
태초력 달력
2000년간 사용
천하를 여행하며 역사 자료를 수집하고
천 하
역사의 현장을 답사하던 때로부터 보면 37년이 걸린 대역사였어.
사기 130편 완성
태어난 해가 정확하지 않은 것처럼 사마천이 죽은 해도 역시 정확하지 않아.
죽은날?
다만 죽을 힘을 다해서 《사기》를 완성한 후, 얼마 못 되어 진이 빠져 죽은 것으로 생각되고 있어. 기원전 86년 혹은 87년쯤의 일이었을 거야.
휴우~ 이젠 쉴 때가 됐어!
사기완성
죽을 때 사마천은 환관이었어.
굴욕적인 삶이었어!
환관
환관은 남자로 태어났지만 중성인 사람이야. 남성 호르몬의 분비가 줄어들면서 몸은 점점 가냘파지고
ㅎ ㅎ
나이가 들면 얼굴에 주름이 쪼글쪼글한 환관 특유의 모습으로 변하게 돼.
나이 들면 누구나 쪼글쪼글해 지는데…
목소리도 여성처럼 바뀌고 걸음걸이조차 종종 걸음으로 바뀌었겠지.
내 걸음 걸이가 어때서?
종 종 종
그는 죽을 때까지 자신의 모습을 수치스럽게 여겼을 거야.
두번 다시 거울을 안 볼 거야!

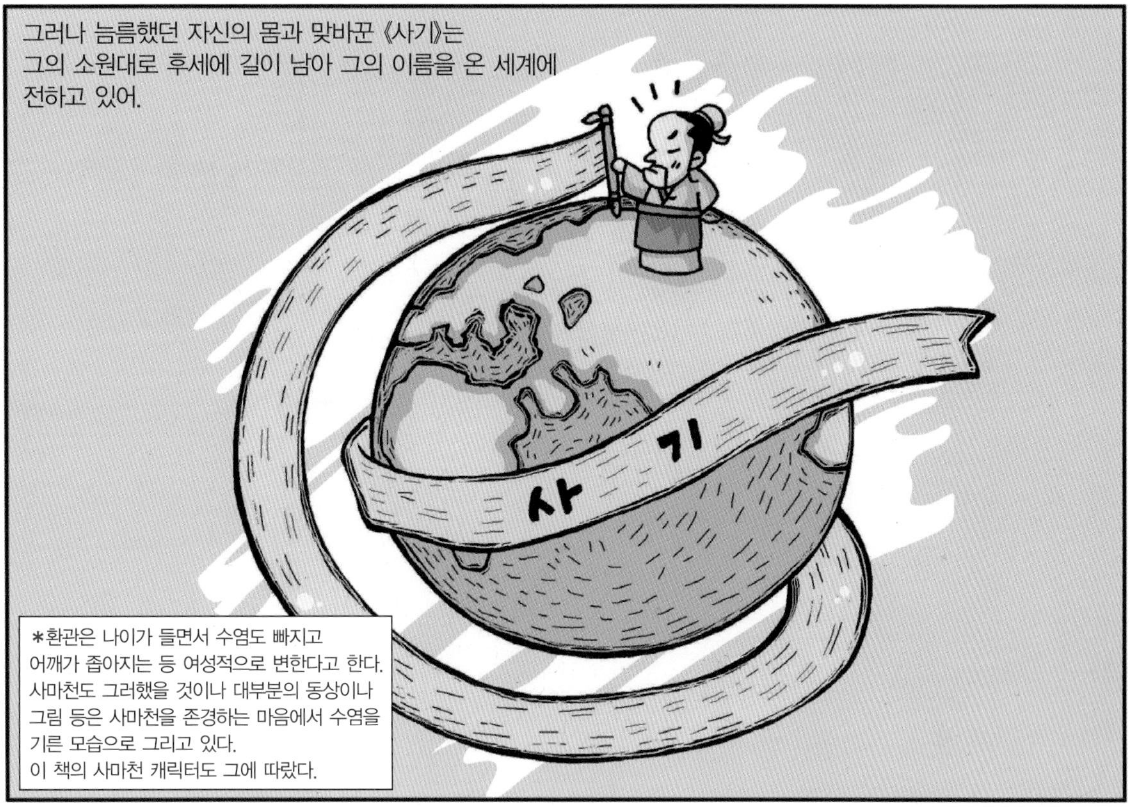
그러나 늠름했던 자신의 몸과 맞바꾼 《사기》는
그의 소원대로 후세에 길이 남아 그의 이름을 온 세계에
전하고 있어.
사 기
*환관은 나이가 들면서 수염도 빠지고
어깨가 좁아지는 등 여성적으로 변한다고 한다.
사마천도 그러했을 것이나 대부분의 동상이나
그림 등은 사마천을 존경하는 마음에서 수염을
기른 모습으로 그리고 있다.
이 책의 사마천 캐릭터도 그에 따랐다.

죽음보다 더한 굴욕을 견디고 끝내 자신의 목표를 완수한
위대한 인물이라는 찬사와 함께!

제3장
백이와 숙제 – 고사리를 뜯어먹으며 지조*를 지키다.

*지조 – 신념을 지켜 끝까지 뜻을 굽히지 않는 꿋꿋한 의지.

백이와 숙제는 《사기열전》 총 70편 중에서 제일 첫 편인 백이 열전에 나오는 인물들이야.

상나라**가 제후국이었던 주나라에 망하자
周

**상나라 – '은나라' 라고도 함.

자기가 섬기던 주인을 무너뜨린 주나라의 백성이 되는 것을 창피하게 생각하여 산속으로 들어가 버린 사람들이지.

그리고 결국은 굶어 죽었다고 해.
차라리 굶고 말지!

열전에 적혀 있는 이야기만으로는 너희들이 이해하기 어려운 부분이 있으니까

역사적인 배경을 곁들여 가면서
백이와 숙제의 이야기를
들려 주도록 할게.
백이와 숙제는 상나라 시대,
고죽국이라는 나라의
왕자였어.
백이는 첫째 아들,
숙제는 셋째 아들이었는데
첫째
셋째
아버지는 셋째 아들이었던 숙제에게
왕위를 물려줄 생각이었어.
막내가
왕위에
올라야만
마땅해!
그런데 아버지가
돌아가시자 숙제는
큰형인 백이에게
왕위를 양보하려고 했어.
왕위는 당연히
맏이인 형님의
몫입니다.
…노!
그러나 백이는 숙제의 제안을
받아들이려 하지 않았어.
무슨 소리냐?
네가 왕위를 잇는 것이
돌아가신 아버지의
뜻이다.
내가 그 자리를 차지할
이유가 없다!
게다가 자신이 나라 안에 계속 있는 것이
동생에게 불편할 것이라 생각했는지
바로 나라를 떠나버렸어.
孤竹國
맏아들이 있는데
동생이 왕이 된다는 건
옳지 못하다.
그러나 숙제도 만만치 않았어.
끝까지 왕위에 오르기를
거절하다가 결국 자기도 나라를
떠나버린 거야.
고죽국 사람들은 할 수 없이
둘째 아들을 왕으로 삼을 수밖에
없었지.
어부지리…

어때? 두 사람 다 고집쟁이지?
그만 포기해.
누가 할 소리!
한 나라의 왕이 된다는 건 누구나 꿈꾸는 거 아냐?
히히
온 나라 사람들의 섬김을 받고
王
존경
신망
온 나라의 돈을 가질 수 있는 자리인데
세상 모든 것이 내 거야!
₩
누가 너희한테 그 자리를 내주면 어떡할 것 같아?
옥좌
당연히 옳다구나 하고 차지하겠지?
어때 맘에 드십니까?
너희들만 그런 것도 아냐. 역사적으로 보면 그 자리를 차지하려고 얼마나 많은 싸움들이 일어났는지 몰라!
투쟁
왕위쟁탈전
심지어 부모 자식 사이, 형제 사이에도 피비린내 나는 왕위 쟁탈전을 벌이곤 했거든.
흐
흐
흐
흐
그런데 백이와 숙제는 그 자리가 싫다는 거야!
옥좌
이유가 뭔지 알겠어? 도저히 이해할 수 없다고?
?
백이와 숙제가 왕위를 거부한 것은
왕위계승
NO!

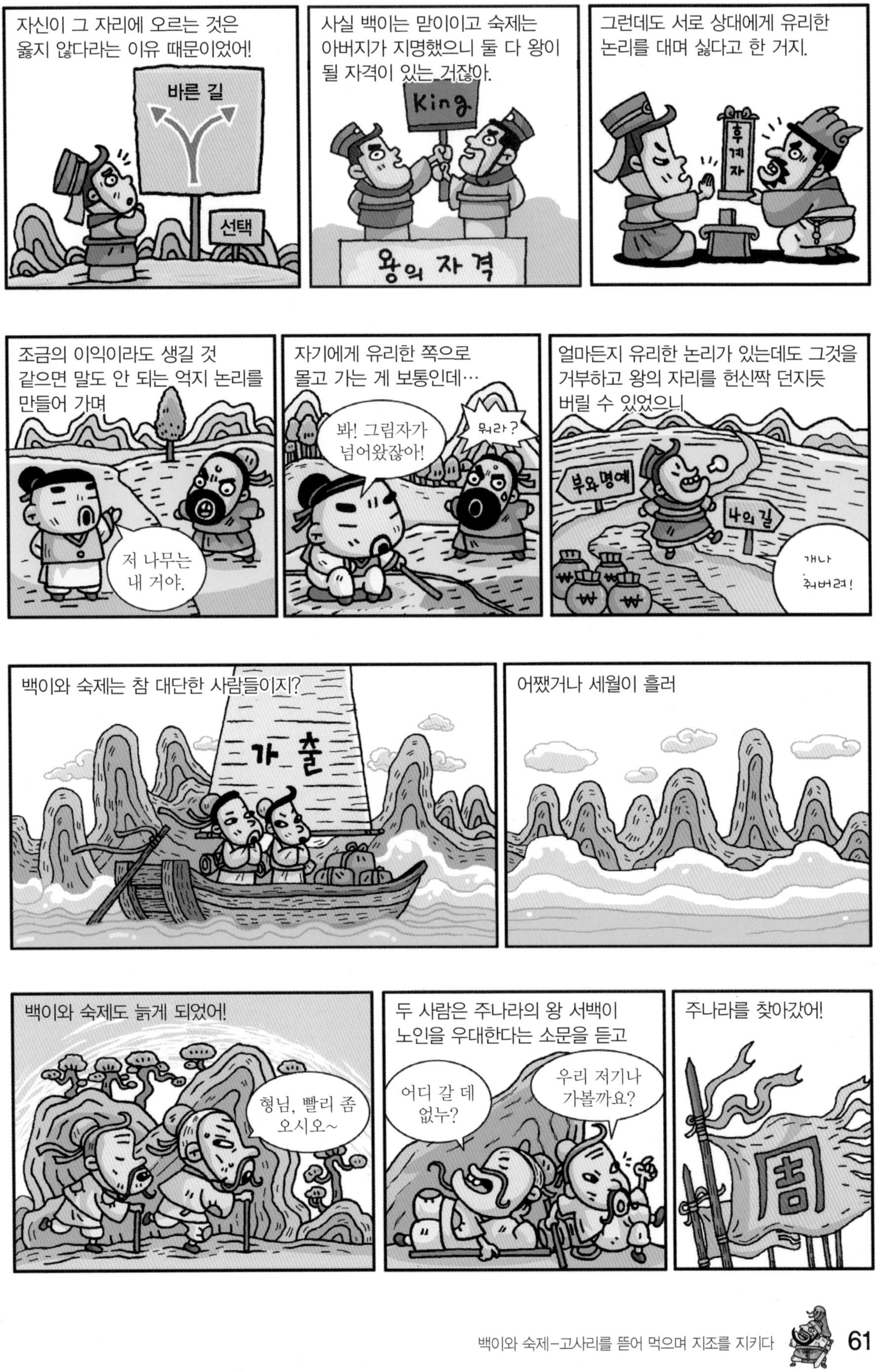
자신이 그 자리에 오르는 것은 옳지 않다라는 이유 때문이었어!
바른 길
선택
사실 백이는 맏이이고 숙제는 아버지가 지명했으니 둘 다 왕이 될 자격이 있는 거잖아.
King
왕의 자격
그런데도 서로 상대에게 유리한 논리를 대며 싫다고 한 거지.
후계자
조금의 이익이라도 생길 것 같으면 말도 안 되는 억지 논리를 만들어 가며
저 나무는 내 거야.
자기에게 유리한 쪽으로 몰고 가는 게 보통인데…
봐! 그림자가 넘어왔잖아!
뭐라?
얼마든지 유리한 논리가 있는데도 그것을 거부하고 왕의 자리를 헌신짝 던지듯 버릴 수 있었으니
부와 명예
4의 길
개나 줘버려!
백이와 숙제는 참 대단한 사람들이지?
가출
어쨌거나 세월이 흘러
백이와 숙제도 늙게 되었어!
형님, 빨리 좀 오시오~
두 사람은 주나라의 왕 서백이 노인을 우대한다는 소문을 듣고
어디 갈 데 없누?
우리 저기나 가볼까요?
주나라를 찾아갔어!
周

주나라는 상나라의 서쪽에 있던 나라였는데
상나라
주나라
고죽국과 마찬가지로 역시 상나라를 섬기는
제후국이었어.
상나라
주나라
앗, '옥의 티'를 찾았구나?
역시~ 너희는 너무 예리해.
그래, 나라 밖으로 달아난 백이를
숙제가 어떻게 만났냐 그 말이지?
어!!
상봉
안타깝게도
그 부분에 대해서는
아무런 설명도
되어 있지 않아.
아마 숙제도 왕위를 거절한 후
나라 밖으로 떠났으니,
떠돌이 생활 중에 백이를
만났나 보지?
그런데 두 사람이 막상
주나라에 도착하고 보니
서백은 이미 죽었고,
대신 아들이 왕위에 올라 있었어.

새 왕은 무왕이라고 했어.

백이 형제가 도착했을 때 무왕은 마침 아버지의 위패*를 수레에 싣고 상나라를 치기 위해 막 동쪽으로 떠나려 하고 있었어.

***위패** – 죽은 사람을 상징하는 작은 나무판

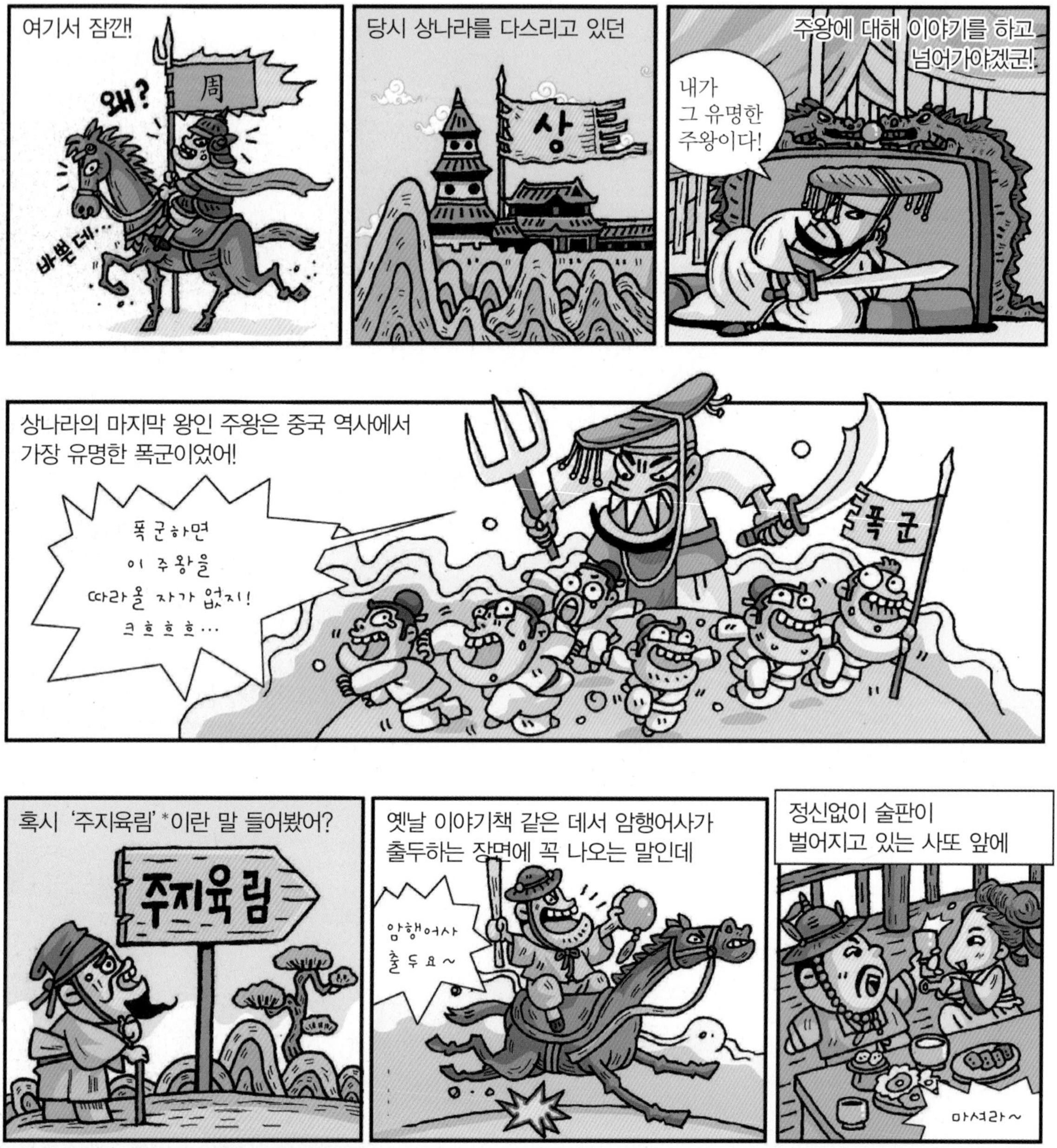

여기서 잠깐!
周
왜?
바쁜데…
당시 상나라를 다스리고 있던
상
주왕에 대해 이야기를 하고 넘어가야겠군!
내가 그 유명한 주왕이다!
상나라의 마지막 왕인 주왕은 중국 역사에서 가장 유명한 폭군이었어!
폭군하면 이 주왕을 따라올 자가 없지! 크흐흐흐…
폭군
혹시 '주지육림'*이란 말 들어봤어?
주지육림
옛날 이야기책 같은 데서 암행어사가 출두하는 장면에 꼭 나오는 말인데
암행어사 출두요~
정신없이 술판이 벌어지고 있는 사또 앞에
마셔라~

*주지육림(酒池肉林) – 술 주(酒) 연못 지(池) 고기 육(肉) 수풀 림(林)

암행어사가 들이닥쳐 호통을 치잖아!
네 이놈! 주지육림을 일삼으며
백성의 고혈을 빨아먹다니!
살려 주십시오.
주지육림이란 말은 '술로 만든 연못과
酒
고기로 만든 숲'이란 뜻인데

바로 상나라 주왕이 정치는 돌보지 않고 술로 연못을 만들고 주위 나무에 고기를 매달아 숲을 만든 다음
한잔 따라 보거라~.
달기라는 애첩과 날이면 날마다 잔치를 벌이며 논 데서 나온 고사성어야.
심지어 주왕은 자기에게 폭정을 그만 두라고 건의하는 신하들에게
폐하! 정신차리소서!
뭣이라?
구리기둥에 기름을 발라 숯불 위에 걸쳐 놓고
그 위를 걷게 하는 형벌*을 내렸다고 해.
덜
덜
덜
형벌을 받던 신하가 기둥에서 미끄러져 떨어지는 모습을 보고 즐거워했다니….
푸 헤헤헤!
으악!
왕이란 사람이 이렇게 미친 짓을 하다보니
룰루~
랄라~

***포락지형** – 통째로 구울 포(炮), 지질 락(烙), 어조사 지(之), 형벌 형(刑).

천하의 사람들이 모두 하늘을 원망하였어.
하늘도 무심하시지, 어떻게 저런 사람을 왕이라고….
당연히 사람들은 주왕을 대신할 새로운 왕이 나타나기를 학수고대하고 있었지. 학수고대란 학이 목을 뺀 것처럼 목을 길게 빼고 기다린단 말씀!
쭈욱
우리의 성군은 언제쯤 오시려나….
그때 사람들의 마음을 사로잡은 것이 바로 주나라의 왕 서백이었어. 주나라의 서백은 성품이 어질고 덕으로서 백성들을 잘 통치하여 천하의 사람들이 다 존경하고 있었거든.
여기서 하나, 헷갈리면 안 되는 것!
주왕은 상나라의 마지막 왕이고,
내가 마지막 왕이라니
조상을 어찌 볼꼬?
상나라 마지막 왕
서백은 주나라 왕이라는 사실!
상
주왕
주
서백

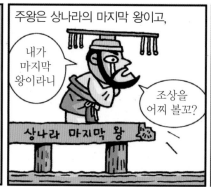

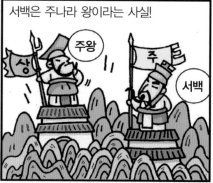

‘주왕’과 ‘주나라’는 한글로는 같은 ‘주’자이지만 한자로는 완전히 다르거든.
周 주나라
紂王 주왕
그런데 어른들도 주왕이 주나라 왕인 걸로 착각할 때가 많아.
상나라 주왕! 주나라 서백!
사람들의 마음이 서백에게로 기우는 것을 본 신하들은
국민지지
서백에게, 포악한 주왕을 쫓아내고 대신 천하를 다스리는 왕이 되어달라고 건의하였어.
또 제후들 중에도 서백의 편이 되는 자들이 점점 많아졌어.
충성맹세
그러나 서백은 끝내 상나라를 치지 않았어.
NO~
앵?
당시 중국에는 ‘천자는 하늘이 내려주는 것이므로 사람이 함부로 천자를 바꾸면 안 된다’는 사상이 뿌리 깊게 남아 있었거든.
천자
여기서 ‘천자’는 중국에서 제후와 구별되는 황제.
天子
예를 들면 진시황 같은, 왕중왕을 가리키는 말이야.
제후국의 왕도 곧 내 신하니라~.
그 동안에도 상나라 주왕의 폭정은 갈수록 심해졌어.
내 뜻을 거역하는 자 다 죽일 거다!
폭정
자기 말을 듣지 않는 자는 후궁이든 대신이든 가리지 않고 죽여 마른 고기를 만드는가 하면
죽일겨!
작은 아버지가 폭정을 멈추라고 충고하자
이제 그만!!

“성인의 심장에는 일곱 개의 구멍이 있다고 하던데?”라고 하면서 작은 아버지를 죽이고

그 자리에서 태연히 심장을 열어보게 하는 만행을 저지르기도 했어.
흐흥

백성들의 하루하루가 지옥 같은 생활이었음은 말 안 해도 짐작할 수 있겠지?

서백의 뒤를 이은 무왕은 생각했어.
아무리 하늘이 내려준 천자라 해도 천자 노릇을 제대로 못 하면 내쫓아야 한다. 하늘은 그렇게 해서 왕위에 오른 사람을 천자로 인정해 줄 수밖에 없다.
그리고 아버지의 장례보다 급한 것이 흉악한 주왕을 없애는 일이라며 상나라를 치러 나선 거야.

백이와 숙제가 주나라에 도착한 것은
바로 그 순간이었어.
그들은 무왕의 마차로 달려가 말고삐를
붙잡고 간청했어.
폐하!
아버지가 돌아가셨는데 장례도 치르지 않고 전쟁을 일으키는 것은 '효'가 아닙니다.
또 신하가 임금을 죽이는 것은 '도리'가 아닙니다.
나그네가 무엄하게 왕의 행차를 막고 나섰으니 그 다음에
어떤 일이 벌어질지는 뻔하지 않아?
앵
무왕을 호위하는 무사가 재빨리 칼을 빼어
두 사람의 목을 베려는 순간이었어.
무엄하다!
!!

이때 태공이 소리쳤어.
의로운 사람들이니 살려 주어라!
태공은 서백에게 발탁되어 서백의 스승을 지냈을 뿐만 아니라
나중에 무왕을 도와 은나라를 무너뜨리는 데 큰 공을 세우게 되는 사람이야.
이 태공은 우리들에겐
'강태공'이라는 이름으로 더 잘 알려져 있지.
왜 겨울에 얼음 낚시하는 사람들을 취재하면서 이런 말을 하잖아.
강태공들은 추운 날씨도 아랑곳하지 않고
얼음 낚시를 즐기고 있습니다.
이처럼 낚시꾼을 '강태공'이라고 부르게 된 것은 태공이 서백을 만날 때 낚시를 하고 있었다는 전설에서 유래된 거래.
태공 덕분에 백이와 숙제는 죽기 일보 직전에 목숨을 건졌어.
하지만 백이와 숙제의 충고는 무왕에게 받아들여지지 않았어.
NO
무왕은 그 길로 상나라로 진격하였던 거지.

천하
주왕을 죽이고 무왕이 천하를 차지하게 되자
대부분의 제후들이 주나라에 충성을 맹세했어. 상나라에 대한 적대감이 퍼져 있던 때였으니 주나라가 일으킨 혁명을 반길 만도 했지.
혁명
그러나 백이와 숙제는 주나라를 인정하지 않았어. 왜냐?
흥! 이건 나라도 아냐!
'신하가 임금을 죽이는 것은 도리가 아니다' 라고 철저하게 믿고 있었거든.
하·극·상
탕
앞에서 백이와 숙제가 어떤 사람인지 봤지? 옳지 않은 일이라고 생각되면 어떤 경우에도 타협하지 않는 사람들 이잖아.
사람은 정도를 걸어야 돼!
고집불통
그들은 주나라의 백성이 되는 것을 부끄럽게 여겼을 뿐만 아니라 주나라에서 나는 곡식을 먹는 것조차 깨끗하지 못한 일이라고 생각했어.
不食周粟
수양 산
주나라 음식은 입에 대지도 않을 거다!

＊불식주속(不食周粟) – 아니 불(不), 밥 식(食), 주나라 주(周), 곡식 속(粟)

그래서 결국 수양산으로 들어가 고사리를 뜯어먹으며 사는 길을 택했지.
不食周粟
내 두번 다시 그쪽으로는 소변도 안 눈다!

그렇지만 산나물만으로 배를 채우며 사는 게 오래갈 수는 없겠지? 드디어 굶어 죽을 지경에 이르자 다음과 같은 노래를 지어 불렀어.
저 서산에 올라
고사리를 캐네.
폭력으로 폭력을 바꾸었건만
그 잘못을 모르는구나.
신농과 우, 하나라 시대*는
홀연히 지나갔나니
우리는 어디로 돌아가야 하나.
아! 이제는 죽음 뿐.
우리의 운명도
다하였구나.
수양산

***신농과 우, 하나라 시대** – 신농은 3황 5제 중 한 사람, 우는 하나라의 시조로 천하가 태평하고 도가 살아 있던 시대를 뜻한다.

사마천은 말했어.
그러나 이 노래로 보면 백이와 숙제가 원망하는 마음을 가지고 있는 것 아닌가?
일찍이 공자는 "백이와 숙제는 의로움을 추구하여 그것을 얻었기 때문에 아무도 원망하지 않았다."고 했다.

어떤 사람은 '하늘은 항상 착한 사람과 함께 한다'고 말하지만 백이와 숙제 같은 착한 사람이 굶어 죽은 것을 보면 반드시 그렇다고 할 수 있는가? 그것이 하늘의 뜻이라면 과연 하늘의 뜻은 옳은가, 그른가.

제4장
관중-친구의 믿음이 큰 인물을 만들다.

관중은 《사기열전》 제2편 관안 열전에 나오는 인물이야.
관 안 열 전

40년 가까이 제나라의 재상을 지내면서 제나라를 춘추시대 최강의 나라로 키워낸 사람이지.

그런데 흥미로운 것은 출신도 보잘 것 없고 집안도 가난했던 관중이
오늘은 또 뭘 먹나?

이렇게 명재상으로 이름을 떨칠 수 있게 된 것은

바로 다름 아닌 친구 덕분이었다는 거지.
명재상

그 친구의 이름은 포숙*.
포숙은 젊었을 때부터 관중의 인물됨을 알아보고 항상 그를 도와 주었다는데…
우정
관포지교**라는 말을 들어봤니?
관포지교

*포숙, 또는 '포숙아' 라고도 함.

**관포지교(管鮑之交) – 대롱 관(管), 절인 물고기 포(鮑), 어조사 지 (之), 사귈 교(交)

'서로 이해하고 믿으며 깊은 우정을 나누는 친구 사이' 라는 뜻인데,
고기를 잡으러~
바로 관중과 포숙의 이야기에서 나온 말이야.
후후.
진정한 친구란 우릴 두고 하는 말이지!

관중은 제나라의 가난한 집안에서 태어났어.
응애
제나라
응애
젊었을 때부터 관중은 포숙이라는 친구와 가깝게 지냈는데
고기를 다 쫓는군!
워~
포숙은 관중의 현명함을 잘 알아주었어.
우리 이거 시장에 내다 팔까?
팔아?

두 사람이 함께 시장에서 장사하던 시절의 이야기야.
신선한
둘이 같이 장사를 했으니 일종의 동업인 셈이지.
동업자
한배를탄 운명
그런데 이 동업이란 게 사실 쉬운 일이 아냐.
왜 니 맘대로 노를 저어?
누가 할 소리!

돈을 잘 벌어도, 사업이 망해도 문제거든. 돈을 많이 벌면 서로 자기 몫을 더 많이 차지하려고 싸우게 되고,
왜 네가 더 많아!
똑같은데… 뭘!
혹시라도 망하게 되면 서로 책임을 따지며 싸우게 되거든.
너 때문이야!
폐업
그래서 친한 사람끼리는 절대로 동업을 하면 안 된다는 불문율*이 있을 정도야.
좋은 사업이 하나 있는데…
동업사절
*불문율 – 법은 아니지만 누구나 알고 지키는 원칙.
관중과 포숙의 경우도 사실 얼마든지 그럴 가능성이 있었어.
혼자 다 가질 수는 없을까?
서로 뜻이 맞아 장사를 시작했지만 집안이 가난했던 관중이 언제나 포숙을 속이려 들었거든.
미안하네… 친구!
돈을 나눌 때도 똑같이 나누지 않고 자기가 더 많은 몫을 가져가곤 했지.
포숙은 이거면 돼!
우리가 만약 포숙이었다면 어떻게 했을 것 같아?
뭘 숨기는 거야?
당연히 관중에게 따졌겠지?
내가 다 봤어! 당장 내놔!
뭘~?
그런데 만약 관중이 이런 소릴 한다면…
무슨 소리야? 내가 더 열심히 일했는데. 네가 한 게 뭐 있다고?
엥?
그 다음이 어떻게 되었을지는 누가 봐도 뻔한 거 아냐?
그래~ 너 죽고 나 살자!
그렇지만 포숙은 보통 친구들처럼 그렇게 행동하지 않았어.
왜 만날 당하기만 해?
!!
관중이 뻔히 자기를 속이는 것을 알면서도 한번도 관중을 나무라지 않았어.
관중이 나보다 가난하니까.
나보다 돈을 많이 가져가는 것은 당연해.

늙으신 부모님과 형제들을 먹여 살리려면 어쩔 수 없잖아.
한번은 관중과 포숙의 장사가 쫄딱 망했던 적이 있었어.
파산
엉~엉
이때 자금을 주로 댄 사람은 포숙이고 투자를 주도했던 사람은 관중이었어.
미안하네! 친구. 내가 자네 돈을 다 날려 버렸어.
일어나시게~.
하지만 이때도 포숙은 관중을 위로했어.
사업을 하다가 보면 실패를 할 때도 있지 뭘 그러나.
관중은 그런 친구를 보며 고마움을 느꼈을 거야.
힘내시게! 친구!
이러니 둘 사이에 싸움이 날 리가 있겠어? 친한 사람끼리는 절대로 동업을 하면 안 된다는 불문율은 적어도 관중과 포숙의 관계에는 통하지 않는 말이었던 셈이지.
세월이 흐른 뒤,
관중과 포숙은 벼슬에 나가게 되었어.
등용문
그런데 관중은 어찌된 일인지 세 번이나 벼슬에서 쫓겨났단다.
벼슬
한두 번도 아니고 세 번씩이나 쫓겨났으니 관중도 염치가 없었을 거야.
차라리 그만 둬!
왜 우리도 계속해서 실수를 하다보면 그게 원래 저 사람의 실력이라고 단정해 버리게 되잖아.
실력이 형편 없구만!

그렇지만 포숙은 그렇게 말하지 않았어. 관중이 능력 없는 사람이 아니라는 걸 잘 알고 있었기 때문이지.
실망하지 말게.
참고 기다리면 언젠가는 자네의 능력을 알아주는 임금이 나타날 걸세. 그때를 기다리세.
관중이 세 번 전쟁터에 나갔다가
세 번 모두 달아났을 때도 마찬가지였어.
당연히 사람들은 관중에게 '비겁한 놈'이라고 쑥덕거렸겠지.
비겁하게 도망이나 치고 네가 그러고도 남자야?!
옛날에는 군인은 절대 전쟁터에서 도망쳐서는 안 된다고 배웠거든.
임전무퇴
도망을 친 사람이 만약 대장이라면, 자기 임금이 불러 죽여 버리기도 할 정도였어.
네 이 놈 목을 쭉 빼거라!
살려 주십시오.
그러나 포숙은 관중이 전쟁터에서 도망친 것이, 용기가 없어서가 아니라 늙은 어머니를 걱정해서라는 것을 잘 알고 있었어.
그만 일어 나시게.
친구여! 사람들이 뭐라건 신경 쓰지 말게.
자네는 늙으신 어머니를 모셔야 할 처지가 아닌가. 누구든 자네와 같은 처지에 있는 사람이라면 다 그렇게 행동했을 걸세.
그런데 두 사람의 운명을 갈라 놓는 일이 일어났어.
갈림길

관중과 포숙이 섬기는 주인들끼리 서로
임금 자리를 놓고 싸우는 사이가 되어버린 거야.
밀어 부쳐~
낑
낑
기운내 라구~
당연히 그 신하들인 관중과 포숙도 서로 싸울 수밖에 없는
처지가 되었고
관중 VS 포숙
무엇보다 싸움의 결과에 따라 한 사람은
살고 한 사람은 죽어야 하는 상황이
된 거야.
이긴 자만이 올라올 수 있다!
이런 싸움에서는 지는 편은
거의 다 죽게 되는 것이
일반적이었거든.
푸우
당시 제나라의 왕 양공이
이유도 없이 신하들을 죽이고
폭정을 일삼자
양정
양공이 자기들까지 해칠까봐 두려워진 양공의 동생들은
각자 다른 나라로 망명을 떠났어.
이럴 땐 도망이 최고유~
그때 관중은 규라는 동생을,
포숙은 소백이라는 동생을
섬기고 있었기 때문에
두 사람은 각각
자기 주인을 따라
관중은 노나라로,
포숙은 거나라로 가게
되었지.
이 놈들 당장 돌아와!
제
거
노

문제는 폭정을 일삼던 양공이 자기 사촌형에게 죽임을 당하면서 일어났어.
제나라 사람들이 거나라에 가 있던 소백을 모셔다가 왕으로 삼으려 한다는 소식을 들은 규가
뭣이라!
자기가 왕이 되어야 한다고 주장한 거야.
무슨 소리야? 내가 형이니 당연히 내게 왕위계승권이 있다고!!
이렇게 되자 이제 누가 왕이 되느냐는 것은, 누가 먼저 제나라에 들어가 왕궁을 차지하느냐에 달리게 되었어.
결승점
양쪽 다 필사적으로 제나라 왕궁을 향해 달리기 시작했겠지?
형보다 먼저 가야 돼!
왕자 규가 관중에게 명령했어.
내가 제나라로 달려가는 동안
너는 소백이 제나라로 들어가는 길목을 막도록 하라.
관중은 특공대를 이끌고 거나라에서 제나라로 넘어가는 길로 달려갔어.
멀리서 소백의 행렬이 나타나자 숨을 죽이고 숨어 있었지. 드디어 소백이 길에 접어들었어.
덜컹
덜컹
관중은 직접 활시위를 당겨 소백을 겨누었어.
끼릭

화살은 정확하게 소백의 허리띠를 명중시켰고 소백은 그 자리에서 쓰러졌어.
퍽
관중은 소백을 죽였다고 보고하였고 규는 이제 상대가 없어졌으니, 느긋하게 제나라로 가도 되겠다며 여유를 갖게 되었지.
그래, 성공했단 말이지!
네! 이제 급할 것이 없어졌습니다.
그런데 웬걸? 소백은 죽은 것이 아니었어.
뒤돌아 보지 말고 곧바로 달려!
!!
죽은 척 쓰러져 있다가 거짓으로 장례를 치르는 시늉을 한 거야. 시체인 것처럼 수레에 실린 소백은 그 길로 내달아 형보다 먼저 제나라에 도착하였어.
그렇게 해서 왕위에 오른 사람이 바로 제나라 환공이라는 사람이야.

환공은 동쪽 구석의 작은 제후국에 불과했던 제나라를 춘추시대 제후국들의 우두머리로 만들어낸 왕이야.
춘
추
시
대
환공은 즉위 후 바로 형 규가 있는 노나라로 쳐들어가
노나라 왕에게 편지를 보냈어.
널 죽이라는 구나!
"왕자 규는 형이므로 차마 내가 죽일 수 없으니 노나라에서 죽여 주시오.
형을 죽이는 동생은 없소! 살려 주시오!
그리고 관중은 제나라로 보내시오. 마음껏 놀리다가 고기젓으로 만들겠소."
관중 젓갈을 담으려면 좀 커야 되지 않겠나?
젓갈
제나라를 두려워한 노나라 왕은 왕자 규를 죽였어.
당장 데려가 죽이거라!
살려주시오.
그러자 규를 모시던 많은 장수와 참모들도 스스로 목숨을 끊었어.
옛날에는 자기가 모시던 장군이 죽거나 싸움에서 지면 그 밑에 있는 장수들도 목숨을 끊는 경우가 많았단다.
그렇게 하는 것이 충성이라고 생각한 것이지.
충성
반대로 적에게 항복하거나 적의 포로가 되는 것을 가문의 수치로 여겼단다.
적의 포로가 되느니 차라리 죽자!
그러나 이번에도 관중은 스스로 목숨을 끊는 일을 하지 않았단다. 하나뿐인 목숨이 아까워서인지

아니면 친구 포숙이 환공의 신하니까 어떻게든 살려 주겠지라고 생각해서인지는 몰라도 어쨌든 관중은 죽지 않고 잡혀 제나라로 보내졌어.
자기가 모시던 주인이 죽었는데도 뻔뻔하게 살아 남은 관중에게 사람들은 엄청나게 욕을 해댔어.
저기 주인을 배신한 관중이 온다!
비겁한 놈!
짐승만도 못한 놈! 개나 말 같은 짐승들도 주인을 따라 죽는데…
그러나 관중의 평생 친구인 포숙은 알고 있었지.
관중은 자그마한 일에는 부끄러워하지 않지만 천하에 이름을 날리지 못하고 죽는 것은 부끄러워 한다.
그래서 관중은 욕하기는커녕 한술 더 떠서 환공에게, 환공의 원수와 다름없는 관중을 등용하도록 적극 추천했어.
폐하~ 그를 죽여서는 아니 되옵니다!
무슨 말이오! 폐하께 활을 쏜 놈인데!
천하의 주인이 되려면 관중을 등용하십시오.
주인
천하
그만한 인물이 없습니다. 그를 잃어서는 안 됩니다.
거듭되는 포숙의 충고에 환공은 마음을 돌렸어. 마음껏 놀리다가 죽여서 소금에 절여 고기젓을 만들겠다던 생각을 접게 된 거지.
좋아
그래~
좋아~

관중이 제나라에 도착하자 포숙이 그를 맞이했어. 손에 채운 수갑과 발에 채운 족쇄,
고생 많았네!
몸을 묶은 밧줄을 풀고 환공에게 데려갔어.
자넬 볼 면목이 없네….
환공은 그를 극진히 맞이하여 재상으로 삼았어.
폐하!
어서 오시게, 관공.
재상은 왕 바로 밑에서 모든 나라 일을 도맡아 하는 벼슬자리인데,
지금으로 치면 국무총리 같은 거야. 조선 시대의 유명한 황희 정승도 재상이었지.
죽을 목숨이었던 관중이 살아 났을 뿐만 아니라 높은 벼슬아치가 될 수 있었던 것은 물론 포숙 덕분이었지.
난 자넬 버릴 수가 없네!
사실 관중이 없었으면 재상의 자리는 포숙에게 돌아 갔을지도 몰라.
소백이 왕이 되기 이전부터 함께 지낸 데다가 능력도 있고 성품도 참 훌륭했거든.
인품
내가 한 인품하지! 후후.
덕망

얼마든지 자기가 높은 자리를 차지할 수 있는데도 포숙은 그 자리를 사양했어.
NO!!
재상
그리고 관중을 추천한 거야.
왕이시여, 저보다 더 훌륭한 사람이 있습니다. 저 오랜 친구 관중입니다.
세상 사람들은 그를 욕심쟁이, 겁쟁이, 비겁한 사람이라고 욕하지만,
그 동안은 때를 만나지 못하고 자기를 알아 주는 주인을 만나지 못해서 그랬던 것뿐입니다.
관중에게 나라 일을 맡겨야 합니다. 저는 그를 돕는 일이라면 아무리 낮은 자리를 주셔도 괜찮습니다.
그리고 관중이 재상이 된 다음에 실제로 항상 그의 아랫자리에서 열심히 그를 보좌했단다.
환공도 참 보통이 아닌 인물이야. 관중이 제나라 국경에서 당시 소백이었던 환공을 직접 화살로 쏘았던 것 기억하지? 개인적으로는 정말 관중이 미웠을 텐데 그런 감정을 다 삭이고 그의 능력을 믿기로 했으니.
개인 감정으로 나라를 다스릴 수는 없는 일!
큰 그릇이 큰 나라를 만듭니다!
관중은 이렇게 자기를 알아 준 포숙과 환공의 기대를 결코 저버리지 않았어.
나를 믿는 사람들의 기대를
저버리지 말자!
40여 년을 재상으로 있는 동안 모든 일을 빈틈없이 처리하여 보잘 것 없는 변두리 제후국에 불과했던 제나라를 춘추시대 제일의 나라로 성장시켰거든.
이 손끝으로 세상을 바꿔보리라!
제나라

관중은 우선 제나라가 바닷가에 있다는 이점을 살려 다른 나라와의 무역을 장려했단다.
창고의 물자가 풍부해야 사람들이 예절을 차리게 된다. 먹고 입는 것이 풍족해야 명예도 있고 부끄러움도 있다!
관중의 이런 생각은 정말 혁명적이라고 할 정도였어.
그때는 대부분의 사람들이 장사는 천한 사람들이나 하는 것이라고 생각하던 시대였거든.
자… 떨이로 팝니다!
싸다! 싸!
무역을 통해 나라의 창고에는 재물이 그득하고 집집마다 먹을 양식이 넉넉해졌으며
그 돈으로 튼튼한 군대도 만들었으니 백성들이 좋아한 것은 당연하지.
한번은 제나라가 노나라와 동맹을 맺는 자리에서
동맹
제
노
노나라의 한 장수가 칼을 빼들고 옛날에 제나라가 빼어간 노나라의 땅을 돌려줄 것을 요구한 적이 있었어.
당장 땅을 돌려줘라!
놀란 환공은 그 자리에서 땅을 되돌려 주기로 약속을 했지만
알았어! 돌려줄게!
시간이 지나자 땅을 돌려주지 않으려고 했어.
칼을 들이대고 위협하는 통에
어쩔 수 없이 한 약속이니 지키지 않아도 된다.
이때 관중이 말하길…
작은 것을 얻으려다 큰 것을 잃을 수 있습니다.
약속은 약속이니 어떤 경우에도 지켜야 합니다.
만약 노나라와 한 약속을 지키지 않으면 다른 많은 나라들도 우리를 믿지 못하게 될 겁니다.
그 말을 들은 환공은 얼른 노나라에 땅을 돌려주었어.
그 소문이 퍼지자 많은 제후국들이 앞다투어 제나라를 따르기 시작했어.
희한하네. 조그만한 땅 하나 줬을 뿐인데.
뽈.. 뽈.. 뽈

그때는 춘추시대라고, 주나라의 봉건제도가 무너지고, 제후들이 더 이상 주나라의 명령을 듣지 않는 독립국이 되어 버린 시절인데 막상 대장도 없이 고만고만한 나라들끼리 싸우다 지친 제후국들의 입장에서는 충분히 제나라를 대장으로 삼을 만하다고 여기게 된 것이지. 관중이 세상을 떠난 뒤에도 제나라는 그의 정책을 그대로 쓰면서 더욱 부강한 나라가 되었고 결국 춘추시대 최강의 나라로 우뚝 서게 되었어.
연
계
보하이 만
제
임치
진
위
한단
노
진
조
취푸
주
나읍
정
상구
송
등
호경
진
채
오
초
영
회계
월

작은 땅 하나를 포기하는 대신에 천하의 제후국들이 따르는 우두머리 나라가 되었으니 관중의 계산법이 정말 뛰어났던 거지.
齊
제
진
초
노
연
위
오

훗날 관중은, 세상 사람들로부터 욕을 먹을 때조차도 자기를 이해하고 믿어준 포숙의 우정을 돌이켜보며 "나를 낳아준 사람은 부모이지만 나를 알아준 사람은 포숙이다."라는 유명한 말을 했어.
우정

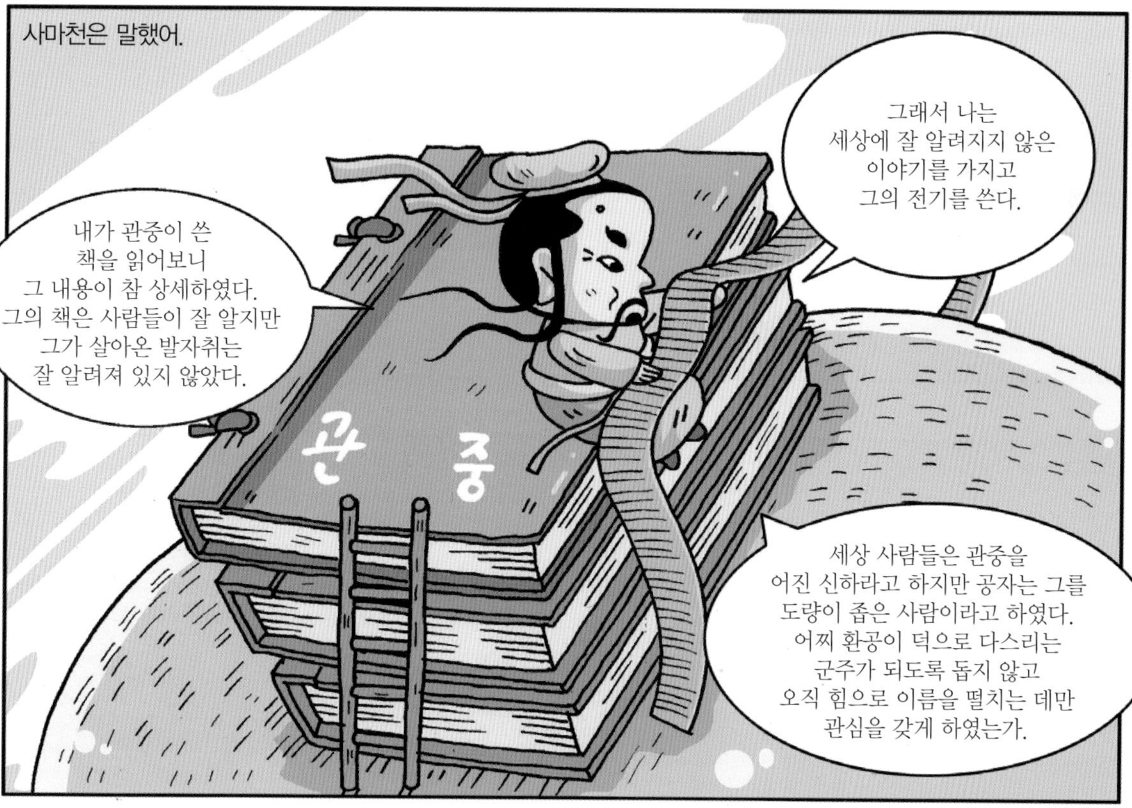
사마천은 말했어.
내가 관중이 쓴 책을 읽어보니 그 내용이 참 상세하였다. 그의 책은 사람들이 잘 알지만 그가 살아온 발자취는 잘 알려져 있지 않았다.
그래서 나는 세상에 잘 알려지지 않은 이야기를 가지고 그의 전기를 쓴다.
관중
세상 사람들은 관중을 어진 신하라고 하지만 공자는 그를 도량이 좁은 사람이라고 하였다. 어찌 환공이 덕으로 다스리는 군주가 되도록 돕지 않고 오직 힘으로 이름을 떨치는 데만 관심을 갖게 하였는가.

제5장
오자서-큰일을 위해
굴욕을 견디다.

오자서 열전은 《사기열전》 제6편이야.
오자서열전

오자서는 초나라 사람인데 아버지와 형이 억울하게 초나라 왕에게 죽임을 당하자
초나라
연
계
제
진
위
노
임치
진
주
조
등
나읍
정
상구
송
황해
호경
진
채
오
회계
초
월

오나라 왕의 참모가 되어 초나라에 복수한 사람이야.
복수의 화신.

아버지가 죽을 때 같이 죽지 않고 도망쳤기 때문에 당시 사람들의 생각에서는 부끄러운 일을 한 것인데
아들아, 부디 이 애비의 복수를…
흑흑.

복수를 위해 부끄러움을 참았다는 점에서 사마천과 비슷한 운명을 겪어야 했던 사람이라 할 수 있지.
내 반드시 저 초나라를 무너뜨리고 말 테다!
슥
슥

그래서인지 사마천은 오자서에 대해 특별한 애정을 느꼈던 것 같아.
많은 열전들이 한 열전 안에서 여러 명의 주인공을 다루고 있는데 비해
바글
바글
오자서 열전은 오자서 한 사람만을 주인공으로 다루고 있고, 또 내용도 다른 열전에 비해 훨씬 상세하거든.
흠!
오자서는 초나라의 뼈대 있는 가문에서 태어났단다.
아버지의 이름은 오사. 형은 오상이었어.
오사는 초나라 평왕의 태자였던 건의 스승이었는데 정성을 다하여 태자를 교육했어.
그런데 건의 또 다른 스승이었던 비무기라는 사람은 태자에게 별로 애정을 쏟지 않았어.
어느 날 비무기는 진나라의 공주를 태자의 아내로 맞이해 오라는 왕의 명령을 받고 진나라에 갔어.
그런데 비무기가 직접 가서 보니 공주가 너무 예쁜 거야.
예쁘다.
그래서 돌아와 평왕에게 아뢰었지.
엄청난 미인입니다! 태자에게 주지 말고 직접 왕비로 맞이 하시고
태자에게는 다른 아내를 얻어주면 어떻겠습니까?
왕은 체통도 없이 비무기의 꼬임에 넘어가 진나라 공주를 자기의 아내로 들이고

대신 아들에게는 다른 여자를 아내로 맞이해 준 거야.
쿡쿡
태자 건의 입장에서 보면 황당하기 짝이 없는 노릇이었겠지?
의기투합
스승과 아버지가 서로 짜고 자신의 아내가 될 여자를 빼앗아 갔으니
세상 믿을 놈 없다더니.
태자의 속을 알건 모르건, 미인을 아내로 삼은 평왕의 마음은 기쁘기 짝이 없었어. 밤낮으로 공주의 곁을 떠날 줄 몰랐고
호호호!
이쁜아, 이리 오너라!
드디어 공주에게서 아들까지 얻게 되었어.
응애!
으아아악
응애!
이쯤 되면 비무기의 발언권이 세지게 된 것은 당연하지?
오사, 나랑 한판 뜨자!
그런데 점차 비무기는 걱정이 되기 시작했어.
만약 왕이 죽고
태자가 왕이 된다면? 나는 어떻게 되는 거지?
안 되지 안 돼! 무슨 일이 있어도 이 일만은 막아야지!
그래서 미리 선수를 치기 시작했지.
선~빵
틈만 나면 왕에게 태자를 헐뜯고 모함하기 시작한 거야. 처음에 왕은 비무기의 말을 잘 믿지 않았어.
그만 하시오!
그렇지만 거짓말도 자꾸 듣다보면 진실이라고 여겨지게 되는 것이 보통이잖아?
쑥덕
쑥덕
정말!!
왕은, 비무기가 꾸며 낸 태자의 나쁜 점을 자꾸 듣다보니 정말 태자가 미워지기 시작한 거야.
날 안심 시키려고
공부하는 척 하는구나!

그래서 결국은 태자를 멀리 국경지대로 내 쫓기에 이르렀단다.
어찌 아들보다 비무기의 말을 더 믿을 수 있단 말인가?
그런데도 비무기는 거기서 만족하지 않았어.
태자가 진나라 공주의 일로 전하께 원한을 품고 있습니다.
그가 반란을 일으키려 하고 있습니다.
흐흐흐! 오사, 넌 이제 죽은 목숨이야!
점점 태자를 의심하게 된 평왕은 태자의 스승이었던 오자서의 아버지 오사를 불렀어.
네가 태자와 반역을 꾀했다고?
반역이라니… 말도 안 됩니다.
비무기가 항상 왕에게 태자를 헐뜯는다는 걸 알고 있던 오사는 왕에게 바른말을 했어.
전하! 어찌 거짓말을 일삼는 신하 때문에 친자식을 멀리 하려 하십니까?
옆에 있던 비무기는
지금 저들을 죽이지 않으면 곧 저들이 왕을 잡고 말 것입니다.
왕은 오사를 옥에 가두고 태자를 죽이도록 명령했어.
명령을 받은 신하가 몰래 사람을 보내 알려주는 바람에 다행히 태자는 다른 나라로 도망칠 수 있었어.
비무기, 내 반드시 돌아와 복수하겠다!
비무기는 이번에는
오사의 두 아들이 아주 똑똑합니다. 그들을 지금 없애지 않으면 앞으로 후한이 있을 것입니다! 아버지를 인질로 삼아 그들을 불러들이십시오.
오사를 모함하여 옥에 갇히게 하였으니, 오사의 두 아들이 자기를 가만두지 않을 것임을 잘 알았기 때문이지.
이 간사한 놈!
후덜덜
비무기의 말을 들은 왕은 오자서 형제에게 사람을 보내 명령했지.
너희들이 오면 아버지를 살려 주겠지만, 오지 않으면 당장 너희 아버지를 죽이겠다.

큰 아들 오상이 아버지가 갇힌 곳으로 가려고 하자 동생 오자서가 말렸어.
우리를 부르는 것은 아버지를 살려 주려고 하는 게 아닙니다.
아버지를 미끼로 우리를 불러들여 우리 모두를 한꺼번에 없애려 하는 것입니다.
우리가 가서 모두 죽는 것이 아버지에게 무슨 도움이 되겠습니까. 차라리 다른 나라로 달아나 군대를 빌려서 아버지의 원수를 갚는 게 낫습니다.
내가 간다고 아버지의 목숨을 구할 수 없다는 것을 나도 안다. 그러나 아버지가 살기 위해 나를 부르셨는데 가지 않는다면 사람들이 얼마나 나를 비웃겠느냐.
나는 갈 테니 너는 달아나거라. 달아나서 아버지와 나를 죽인 원수를 갚아라.
그리고는 순순히 사자에게 잡혀가 결국 아버지와 함께 죽었어.
남들이 비웃든 말든 오자서는 살아 남아야 한다고 생각했어. 그래서… 송나라로 도망을 쳤지.
창피함보다… 살아서
아버지와 형의 원수를 갚는 게 우선이다.
그리고 송나라에서 태자 건을 만나 함께 정나라, 진나라 등을 떠돌아다니면서 복수의 기회를 노리고 있었어.
자네, 거지가 다됐군!
진
정
채
송
조
오
진나라 왕이 태자 건 일행에게 제안했어.
우리가 정나라를 무너뜨리게 도와준다면 태자에게
정나라를 다스릴 수 있게 해 드리리다.
당장 머물 데조차도 마땅치 않은 태자 건 일행에게 이 제안은 상당히 매력적이었어. 그래서 정나라로 들어가 모의를 꾸몄지.
정나라

그러나 이 계획을 실행에 옮기기도 전에 일이 발각나는 바람에 태자는 그 자리에서 잡혀 죽임을 당하고
오자서는 서둘러 정나라를 떠나게 돼.
와아
이번에 오자서가 목적지로 잡은 곳은 오나라였어.
오나라
그런데 정나라에서 오나라로 가기 위해서는 양쯔강을 건너야 해. 뒤에서는 정나라 군사들이 쫓아 오지, 앞에는 양쯔강이 가로막고 있지.
정
양쯔강
오
정말 다급한 상황에 빠져 있을 때 마침 양쯔강에서 물고기를 잡고 있던 한 어부가 배를 몰아 강을 건너게 해 줬어.
이보시오~
날 좀 구해 주시오!
강을 건넌 오자서는 자신이 차고 있던 칼을 어부에게 주었어.
이 칼은 무척 비싼 겁니다.
감사의 뜻으로 드리지요.
그때 어부가 뭐라고 했는지 아니?
초나라 왕이 당신을 잡는 사람에게는 좁쌀 5만 석과 작은 나라 하나를 준다고 하였습니다.
내가 욕심이 있었다면 이까짓 칼이 문제겠습니까?
어부는 끝내 칼을 받지 않았어.
고맙습니다.
오자서가 오나라에 도착하고 얼마 지나지 않아 오나라와 초나라 사이에 전쟁이 일어났어.

오나라와 초나라 국경에 누에를 기르는 두 고을이 있었는데, 누에의 먹이인 뽕잎을 서로 차지하려다
오
초
여자들끼리 붙은 싸움이 결국은 두 나라 사이의 전쟁으로까지 커졌던 거지.
누에고치에서 나오는 실이 바로 비단의 원료라는 것은 다들 알고 있겠지?
이 전쟁은 '광'이라는 왕자의 활약으로 오나라의 승리로 끝났어.
오자서는 '기회가 왔다'고 생각하고 얼른 오나라 왕을 뵙고 건의했어.
이번 기회에 초나라를 멸망시키는 게 어떻겠습니까?
그런데 왕자 광은 초나라와 전면적인 전쟁을 벌이는 것을 반대했어.
아직은 때가 아닙니다!
오자서는 아쉽지만 어쩔 수 없이 물러났어.
어쩐다… 시간은 흐르고…
그런데 곧 왕자 광이 오나라의 왕이 되려는 야심을 갖고 있다는 것을 알게 되었어.
그래, 초나라를 치기 위해서는 광을 도와야 해!
그래서 왕자 광에게 자객을 한 사람 추천하고 자기는 물러나 때가 무르익기를 기다리고 있었어.
누군가?
언젠가는 필요한 인물입니다!
5년 후 초나라의 평왕이 죽자
내 손으로 평왕을 죽이고 싶었건만…
오나라는 그 틈을 이용해 초나라를 공격했어.
오

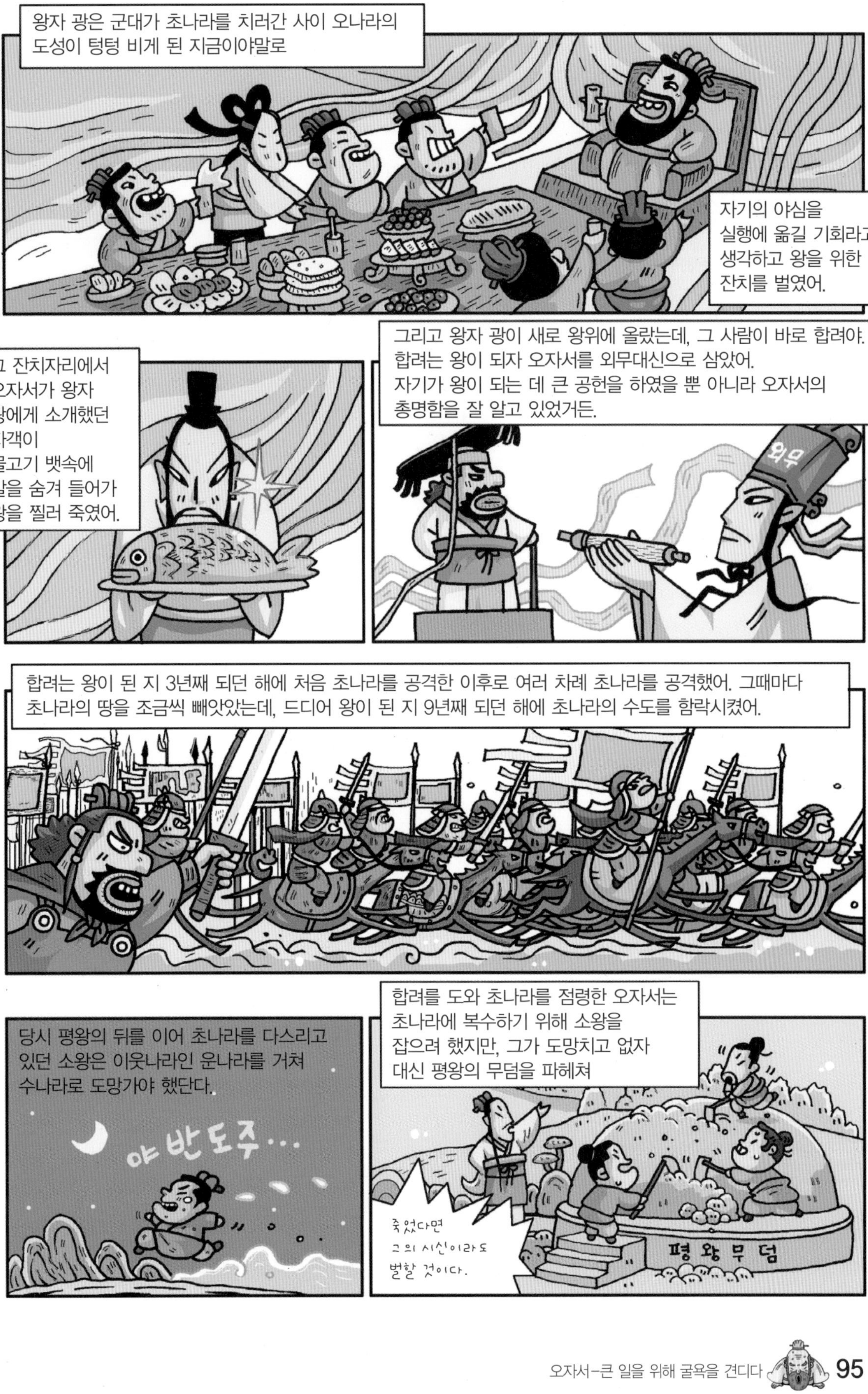

왕자 광은 군대가 초나라를 치러간 사이 오나라의 도성이 텅텅 비게 된 지금이야말로
자기의 야심을 실행에 옮길 기회라고 생각하고 왕을 위한 잔치를 벌였어.
그 잔치자리에서 오자서가 왕자 광에게 소개했던 자객이 물고기 뱃속에 칼을 숨겨 들어가 왕을 찔러 죽였어.
그리고 왕자 광이 새로 왕위에 올랐는데, 그 사람이 바로 합려야. 합려는 왕이 되자 오자서를 외무대신으로 삼았어. 자기가 왕이 되는 데 큰 공헌을 하였을 뿐 아니라 오자서의 총명함을 잘 알고 있었거든.
외무
합려는 왕이 된 지 3년째 되던 해에 처음 초나라를 공격한 이후로 여러 차례 초나라를 공격했어. 그때마다 초나라의 땅을 조금씩 빼앗았는데, 드디어 왕이 된 지 9년째 되던 해에 초나라의 수도를 함락시켰어.
당시 평왕의 뒤를 이어 초나라를 다스리고 있던 소왕은 이웃나라인 운나라를 거쳐 수나라로 도망가야 했단다.
야 반도주…
합려를 도와 초나라를 점령한 오자서는 초나라에 복수하기 위해 소왕을 잡으려 했지만, 그가 도망치고 없자 대신 평왕의 무덤을 파헤쳐
죽었다면 그의 시신이라도 벌할 것이다.
평왕무덤

시체에 300번이나 채찍질을 해댔단다. 끔찍하지?
이건 아버지의 복수!!
이번 건 형님의 복수다!
이때 초나라에 충신이 하나 있었는데 이름이 신포서라는 장군이야. 원래 오자서와는 친한 친구였지.
나라가 망해 돌아갈 곳이 없구나.
오자서가 도망갈 당시 신포서와 의미 있는 대화를 나누고 헤어졌지.
나는 반드시 초나라를 엎고 말겠네.
나는 반드시 초나라를 지키겠네.
오나라가 초나라를 쳐들어 왔을 때 신포서는 산 속으로 달아났는데, 오자서가 평왕의 시신에 매질을 했다는 소식을 듣고는 사람을 보내 항의했지.
비정한 사람 같으니…
당신의 복수는 지나치오. 당신도 예전에는 평왕의 신하였는데 지금 그 시체를 그처럼 욕보여서야 되겠소?
이에 오자서가 신포서에게 사과했단다.
해는 저물고 갈 길은 멀어 천리*를 따를 수 없었다네. 미안하네…
그러나 신포서에게 그까짓 사과는 중요하지 않았어. 일단은 나라를 구하는 게 급한 일이었지.
그래서 진나라에 가서 도와줄 것을 요청했는데
폐하!
제발 도와 주십시오!
평소 초나라를 별로 좋아하지 않던 진나라는 신포서의 요청을 외면했단다.
돌아 가시오!
신포서는 진나라 대궐 앞 뜰에서 7일 밤낮을 쉬지 않고 소리내 울었어.
엉
엉
엉
엉

*천리 – 하늘의 이치, 법도

보다 못한 진나라 왕이 군대를 보내면서 말했지.
초나라는 의리라고는 눈꼽만큼도 없는 나라이지만 저런 충성스런 신하가 있으니 망하게 할 수는 없구나!
마침 그때 오나라에서 합려의 동생이 반란을 일으켰어. 진나라의 군대가 오는 바람에 초나라에서의 싸움이 한층 어렵게 된 데다 자기 나라 안에서 반란이 일어나기까지 했으니
반란
반란
반란
아무리 날고 기는 오자서와 합려라 해도 이런 상황에서 계속 초나라와 전쟁을 하고 있을 수는 없겠지?
사면초가
어쩔 수 없이 오나라는 군대를 돌려 초나라에서 철수할 수밖에 없었단다.
일단 후퇴다!
결국 초나라는 충신을 억울하게 죽였다가 그 복수를 받아 죽은 왕의 시체가 채찍질 당하는 창피를 당하게 되었지만, 또 다른 충신 덕분에 그래도 나라가 망하지는 않게 된 셈이지.
초나라
이후로도 합려는 계속 주변의 나라들을 공격하여 땅을 크게 넓혔단다.
모든 땅을 오나라가 차지할 거다!
서쪽으로는 다시 초나라를 공격하여 결국 초나라가 수도를 옮기도록 만들었고,
만날 쳐들어오니 못살겠다.
수도
초
서쪽
북쪽으로는 제나라와 진나라를 눌렀단다.
제
진
뻥
특히 거의 원수처럼 지내던 남쪽의 월나라도 공격해서 일시적으로 복종시켰어.
더이상 까불지 마! 알았어?
한번만 봐 주십시오!

월나라와의 거듭된 싸움으로 오나라도 큰 상처를 입게 돼.
가랑비에 옷 젖는다고!!
월나라 왕 구천과의 싸움에서 손가락을 다친 합려가 그 후유증으로 결국 죽게 되었거든.
폐…하!
폐…하!
합려에 이어 태자였던 부차가 왕이 되었고 부차는 아버지를 죽인 월나라를 계속 공격하였어.
아버지 복수는 내가 한다!
오자서는 물론 합려 때랑 똑같이 부차에게도 여러 가지 조언을 아끼지 않았어.
오버하지 마십시오~
그러나 부차는 아버지와 달리 오자서의 말을 잘 들으려 하지 않았어.
으~ 노친네 잔소리~
그때 오나라에는 오자서 말고도 초나라에서 망명해 온 백비라는 신하가 있었는데, 부차는 오자서의 말보다 백비의 말을 더 믿고 따랐던 거야.
오자서 넌 나에게 안 돼!
예를 들어, 월나라가 거짓으로 항복을 했을 때
잘못했습니다. 살려주십시오!
살려 달라?
오자서는 월나라 왕 구천이 보통 사람이 아니라는 것을 알고
절대로 항복을 받아들이지 말고 지금 그를 없애야 후환이 없습니다.
죽이라?
부차는 월나라로부터 뇌물을 받은 백비의 설득에 넘어가 월나라의 항복을 받아들이는 식이었지.
그래, 네 맘대로 해!
왕이 계속 오자서의 계책을 멀리 하고 백비의 잘못된 계책을 받아들이자 오자서는 더 이상 오나라 왕에게 기대할 것이 없다고 생각했어.
이것으로 오나라도 끝인가?
어느 날 오자서는 아들에게 말했지.
이제 곧 오나라가 망할 날이 올 것 같구나.
그렇지만 네가 오나라와 함께 죽어야 할 이유는 없다.

그리고 제나라에 사신으로 갔다 오는 길에 아들을 그냥 제나라에 두고 왔어.
아버지 부디 만수무강 하십시오!
제나라
이를 안 백비가 부차에게 일러 바쳤단다.
이것들이!
오자서가 지금 왕에게 불만을 품고 있습니다. 그를 제거해야 합니다.
뭐라! 내게 감히 불만을….
제가 알아봤더니 아들을 이미 제나라에 맡겨두고 왔습니다. 왕께서는 대책을 세우십시오.
부차는 오자서에게 칼을 보내 자결하게 했지.
이것이 내가 지금까지 오나라에 충성한 대가인가?
오자서는 하늘을 보며 탄식했단다.
거짓말을 일삼는 신하가 나라를 어지럽히는데 왕은 오히려 나를 죽이려는구나.
나는 그의 아버지를 제후의 우두머리가 되게 하였고 왕자들끼리 왕위를 다툴 때 죽음을 무릅쓰고 그를 도와 임금이 되게 해주었다.
그가 임금이 되고 나서 나라를 나누어 주려 했을 때도 그것을 사양하였는데, 이제 와서…!!

그리고는 자기의 부하들에게 다음과 같이 유언한 뒤 자결했단다.
나의 무덤 위에 가래나무를 심어 왕의 관을 짤 나무로 쓰도록 하라.
내 눈을 빼서 오나라 동쪽 문에 매달아 월나라 군사들이 쳐들어와 오나라를 멸망시키는 것을 똑똑히 볼 수 있도록 하라.

이 말을 들은 부차는 오자서의 시체를 가죽자루에 담아 강물에 던져 버렸는데…
뒷날 사람들이 그를 불쌍히 여겨 그곳에 사당을 지어 주었다고 해.

오자서가 죽은 지 9년 뒤 부차는 결국 세력을 키운 월나라 왕 구천에게 붙잡혀 죽임을 당하게 되었지.
내 그때 오자서 말만 들었어도….
오나라는 결국 멸망했고.
오
나
라
구천은 백비를 자기 군주인 부차에게 충성하지 않고 적국의 왕인 구천 자신과 내통했다는 이유로 죽여버렸다고 해.
오자서의 섬뜩한 유언은 결국 적중한 거지.
사마천은 말했어.
사람이 품은 원한이란 얼마나 무서운 것인가.
임금이라도 신하에게 원한을 사면 안 되거늘 하물며 같은 신하들의 경우에는 더하지 않겠는가?
복수
일찍이 오자서가 아버지를 따라 같이 죽었다면 하찮은 땅강아지나 개미와 무슨 차이가 있었겠는가? 그는 작은 의를 버리고 큰 치욕을 씻어 후세에 널리 이름을 남겼으니 그 뜻이 참으로 비장하구나!

제6장 소진-세 치 혀로 세상을 움직이다

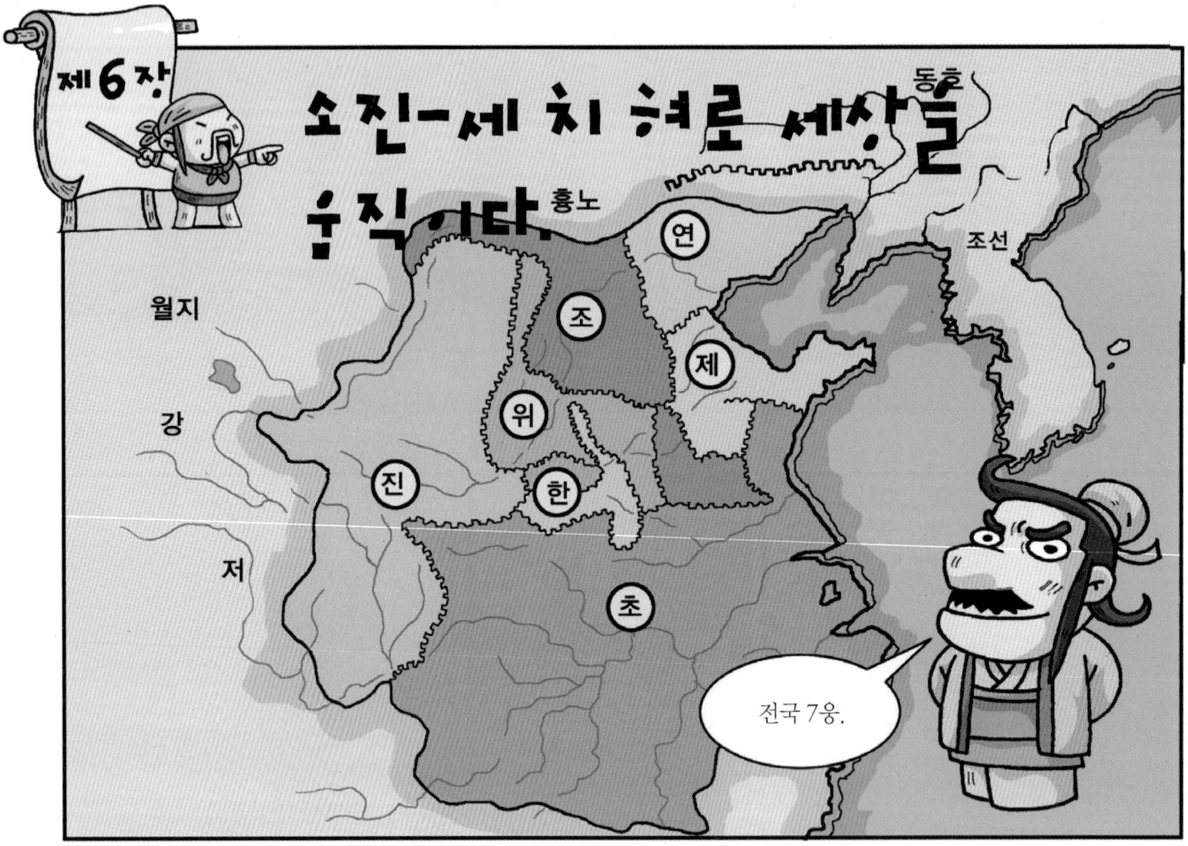
동호
흉노
연
조
제
위
진
한
초
월지
강
저
조선
전국 7웅.

소진은 전국시대의 사상가, 유세가*야.

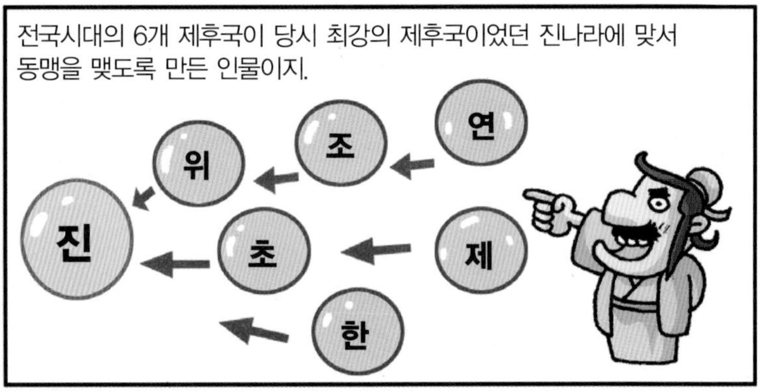
전국시대의 6개 제후국이 당시 최강의 제후국이었던 진나라에 맞서 동맹을 맺도록 만든 인물이지.
연
조
위
진
제
초
한

*유세가 – 연설가

《사기열전》 제9편 소진 열전에는
소
진
열
전

먹느냐 먹히느냐의 치열한 싸움판 속에서 누구도 믿기 힘들었던 제후들이

소진에게 설득되어 결국 6국 동맹에 참여하게 되는 과정이 흥미진진하게 그려져 있어.

그야말로 소진의 세 치 혀가 세상을
움직인 이야기이지.
여기서 치는 한 자(一尺)의
1/10인 약 3cm 정도로
세 치 혀라는 말은 '9cm밖에
안 되는 짧은 혀'
라는 뜻이야.
에~
9cm
정말 보잘 것 없는 그 혀 하나가
어떤 군대로도 해낼 수 없는 일을
해 나가는 과정을 한번 살펴볼까?
에베
소진은 전국 시대 주나라의
수도였던 낙양에서 태어났어.
출생
낙양
주나라가 천자의 나라로서 제후들을
호령하던 시절이었다면 수도에서
태어난 것이 출세에 조금은 도움이
되었을 수도
있겠지만…
천자
이 시대의 주나라는 이미 힘센
제후국들에게 밀려 무늬만 '천자의
나라'로 남아 있었기 때문에…
무늬만
호랑이?
야~옹
수도에서 태어난 것이 소진에게 별로
도움이 되지는 않았던가 봐.
그래서 그런지 소진은 스승을 찾아
제나라로 떠났어.
스승 찾아
삼만리
제
제나라에는 귀곡 선생이란 사상가가
있었는데, 소진은 그 분에게서 주로
외교술에 관한 것들을 배웠어.
외교…
그거 하나면
세상이
통하리라~.
외교
귀곡 선생
어느 시대나 마찬가지이지만
특히 당시 중국의 상황에서는
외교술이 아주 중요했어.
외교술
이 시대에는 '전국 7웅'이라고 부르는 진, 한, 조, 제,
위, 연, 초의 7개 나라가 서로 겨루고 있었는데…
연
조
제
진
위
한
초
워낙 세력이 서로 팽팽하여 '어떤 나라와 친하게
지내야 하나, 또 그 나라와 친하게 지내려면 어떻게
해야 하나'라는 문제가 나라의 운명을 좌우하는
상황이었거든.

외교술에 대해 나름대로 자신감을 얻은 소진은 의기양양하게 길을 떠났어.
자신감 충만!
자기를 고용해 줄 왕을 찾기 위해서였지. 그러나 결과는 너무 비참했어.
나의 주인을 찾아
몇 년 동안 이 나라 저 나라를 다니면서 자신의 정책을 열심히 설명했지만 어느 왕도 자기의 이야기에 관심을 기울여주지 않았던 거야.
됐네!
제 말 좀 들어 보소서!
벼슬은커녕 입에 풀칠조차 하기 힘들어진 소진은 결국 고향으로 돌아왔어.
내가 갈 곳은
집밖에 없구나!
그랬더니 소진의 가족 친지들이 소진을 비웃었어.
농사를 짓던가
그게 아니면 장사라도 해야지!
당신은 일은 하지 않고 그저 입과 혀끝만을 놀리고 있으니 가난한 건 당연한 겁니다.
끄~응
소진은 이 말을 듣고 부끄럽고 서글퍼졌어.
쥐구멍이라도…
쥐구멍
그렇지만 다른 사람들이 옳다고는 생각하지 않았어.
사람 사는 게 다 다르잖아!
난 내 일을 해야 돼!
그래서 그 길로 방에 틀어박혀 더욱 독서에 몰두했어.
앵
출입 금지
하지만 소진의 머릿속에는 한 가지 고민이 떠나지 않았어.
선비가 벼슬하지 못하면
이 많은 책을 읽은들 무슨 소용이 있겠는가?
마침 그때 《주서음부》라는 책이 소진의 눈에 들어왔어.
주서음부
이 책은 사람 마음을 읽어내는 기술에 대해 가르치고 있었는데, 소진은 이 책이야말로 자신에게 필요한 책이라고 생각했어.
날 비웃는 거지?
그걸 어찌 아누?

아무리 좋은 정책을 만들고 멋진 연설을 하더라도 상대방의 마음을 움직이지 못하면 아무 의미가 없다.
1년 내내 열심히 공부한 소진은 드디어 상대방의 마음을 자유자재로 읽어낼 수 있는 재주를 터득하게 되었다고 해.
7
8
9
10
11
12
자신감을 얻은 소진은 다시 세상으로 나갔어.
세상아 기다려라! 내가 간다!
세 상
소진은 맨 처음 자기 나라인 주나라 왕을 찾아 갔어.
이리 오너라!
그렇지만 소진의 옛날 모습을 알고 있던 주나라 왕의 신하들은 아예 소진을 무시하고 말조차 들으려 하지 않았어.
주
썩 꺼져!
헉!
쳇! 고향이라고 생각해서 먼저 왔더니…
그 길로 소진은 당시에 가장 힘이 셌던 진나라를 찾아 갔어.
진
여기서 포기하면 안 되지!
진나라는 원래 서북쪽에 자리 잡은 변두리 나라였지만 오랫동안 경제 발전과 군사력 강화에 힘쓴 결과 이때에는 '전국 7웅' 가운데 제일 힘이 센 나라로 바뀌어 있었어.
연
조
제
위
진
한
초
다른 나라들은 이런 진나라를 '호랑*의 나라'라고 부르면서 두려워 했지.
어~흥!
진나라는 사방이 요새로 만들어진 나라입니다…
지금 선비와 백성들에게 병법을 가르친다면 진나라는 천하를 통일할 수 있을 것입니다.

*호랑 – 호랑이(虎)와 늑대(狼), 욕심 많고 잔인한 사람을 비유하는 말.

그러나 진나라 왕은 소진의 의견을 받아 들이지 않았어!
새도 깃털이 자라지 않으면 높이 날 수 없다. 우리나라는 아직 나라를 다스리는 것도 안정되지 않았으니
천하를 통일하기 힘들다.
사실 이때의 진나라 왕은 떠돌아 다니는 사상가들을 싫어해서 아예 소진의 의견을 심각하게 받아 들이지도 않았던 것인데
사상가
우리가 좀 말이 많기는 하지.
진나라가 소진을 물리친 것은 결과적으로 큰 실수였어.
Out
진
왜냐하면 진나라에서 거절당한 소진이 다른 제후국들을 설득하여, '호랑'의 나라였던 진나라에 대항하도록 만들게 되거든.
진
날 감히 무시하다니!
연나라
흥! 두고 보라구!
다음으로 소진이 간 곳은 연나라야.
연
연나라는 물자가 풍부하고, 당시의 다른 제후국들과 달리 오랫동안 외적의 침입을 받지 않은 나라였어.
전하! 연나라가 그동안 평화를 누릴 수 있었던 것은 연나라 옆에 붙은 조나라 때문입니다.
그게 무슨 소리요?
소진의 연설은 시작 되었어!
연나라가 앞으로도 계속 평화를 누리기 위해서는 가까운 곳에 있는 조나라와 동맹을 맺어야 합니다.
진나라와 조나라는 다섯 번 싸워 진나라가 두 번, 조나라가 세 번 이겼습니다.
3 : 2
조 VS 진
그 때문에 두 나라는 서로 지치게 되었고 왕께서는 연나라를 지킬 수 있었던 것입니다.
진나라가 연나라를 치려면 수천 리를 지나와야 하고 설령 연나라의 성을 빼앗는다 해도 오랫동안 지켜내지는 못할 것입니다.
연
조
진

반대로 조나라가 연나라를 친다면 불과 십여 일만에 수도로 진격해 올 수 있을 겁니다.
조
연
그러니 조나라와 동맹을 맺으시기 바랍니다. 그래야 연나라에 걱정이 없습니다.
오호!
당신의 말이 옳소. 당신이 동맹을 통해 연나라를 편안하게 한다면 나는 기꺼이 당신의 의견을 따르겠소.
그러면서 소진에게 수레와 말과 금과 비단을 주어 조나라로 가게 했어.
금·은
조
드디어 소진의 전술을 인정한 왕이 나타난 거지.
조나라 왕에게 간 소진은 자기의 계획을 상세하게 설명했어.
열전에 기록된 분량만으로도 5쪽이 넘는 대연설이니
절대 동맹이 필요합니다!
왕이 듣다가 잠들지나 않았을까?
쿨
쿨
뭐야? 내 말이 우스워?
농담이야. 나라의 운명이 걸린 작전을 들으면서 졸고 있을 왕이 어디 있겠어?
운명
소진은 조나라가 다른 나라와 적국 혹은 동맹국이 되었을 때 실제로 일어날 수 있는 모든 좋은 일과 나쁜 일에 대해 하나하나 이야기하느라 그렇게 긴 이야기를 했어.
그리고 내린 결론.
제가 가만히 천하의 지도를 살펴보니, 제후들의 땅이 진나라보다 다섯 배가 크고 제후들의 병사가 진나라보다 열 배나 많습니다.
진
동맹국

여섯 나라가 힘을 합쳐 서쪽의 진나라를 친다면
진나라는 반드시 무너질 것입니다.
연
초
제
진
위
한
조
그러나 지금 서쪽의 진나라를 섬긴다면
진나라의 신하가 되겠지요…
그러므로
한, 위, 제, 초,
연, 조가
일치 단결하여
그대 말이
제법 그럴듯
하오!
진나라에
대항하는 것이
낫습니다.
천하의 장수와 재상들을 모아 인질을
교환하고 백마를 잡아서 다른 나라가
진나라의 공격을 받았을 때 함께 일어나
진나라를 공격하도록 맹세하십시오.
일치단결
조나라 왕은 크게 기뻐하며 소진에게
말했어.
이 나라를 당신의 말대로
이끌어가겠소.
그러면서 많은 수레와 황금,
옥, 비단 등을 내려주면서
각 제후들과의 동맹을 추진하게
했어.
소진은 연나라가 원하던
연나라－조나라의 동맹뿐만
아니라
연
조
동맹
한, 위, 제, 초까지 포함하는 여섯 나라의
군사동맹을 체결하는 책임을 맡게
된 거야.
총 사령관!
초
연
조
제
총 사령관
이제 새로운 국제 외교의 틀이 소진의 손에 의해 만들어지게
되었으니 소진이 남은 나라들을 돌며 최선을 다했을 것은
당연하겠지?
지금 부터
내 손에서
역사가 다시 써질
것이다!

소진은 한, 위, 제, 초를 차례대로 돌며 조나라 왕의 선물을 건네고
한
위
제
초
선물
각 나라가 각각 진나라를 섬겨 진나라의 신하가 되는 것보다 각 나라가 동맹하여 진나라에 대항하는 것이 옳다는 것을 열심히 설득했어.
동맹국
진
하나로 뭉쳐야만 살아 남을 수 있습니다.
왕들의 마음을 움직이기에 가장 적당한 말들을 사용하는 것도 잊지 않았어.
언변 달인
한나라 왕에게는 '차라리 닭의 부리가 될지언정 소꼬리가 되지는 말라' 며 자존심을 건드렸고,
위나라 왕에게는 '싹이 날 때 자르지 않으면 결국 도끼를 써야 된다.' 며 불안감을 돋우었고,
제나라 왕에게는 '왕의 현명함과 제나라의 굳셈은 천하에서 제일' 이라며 자신감을 부추겼고,
초나라 왕에게는 '동맹이 이루어지면 초나라가 천하의 우두머리가 될 것이고 반대로 되면 진나라가 천하의 제왕이 될 것' 이라며 경쟁심을 부추겼어.
초
결국 여섯 나라의 왕들이 모두 소진의 계획에 동의하게 되었어. 여섯 나라 사이에 동맹이 맺어지고
동맹 합의
소진은 그 동맹의 책임자로서, 여섯 나라의 재상을 겸하게 되었어.
내 세 치 혀로 여섯 나라를 하나로 묶었다! 이래서 칼보다 붓이 강하다 하지!

세 치 혀로 세상을 거머쥐려던 꿈이 실현되었고
세상
세상이 그의 계획 안에서 움직이게 된 거야.
빙글~
빙글~
형제, 친척들의 비웃음을 받으며 부끄럽고 서글프던 소진의 운명이
도대체 돈은 입으로 버나?
훌쩍
훌쩍
불과 몇 년 만에 이렇게 바뀔 줄이야?
인생 역전
대박
어느날 소진은 고향인 낙양을 지나가게 되었어. 말과 수레, 각 나라 왕이 보낸 사자들까지 섞여 시끌벅적하게 지나가는 소진의 행렬은 여느 왕의 행차에 못지 않았어.
하긴 소진은 여섯 나라의 재상이었으니 한 나라의 왕보다 더 높았다고 할 수도 있지.
권력
초
연
조
한
위
제
예전에 소진을 구박했던 주나라 왕은, 그 위세가 두려워 소진이 지나가는 길을 쓸도록 하고 멀리까지 사람을 보내 맞이하도록 했어.
평소에 잘 할 것이지. 쩝!
집에서는 소진의 형제와 아내, 형수들이 옛날 지은 죄가 생각나서 감히 고개도 들지 못하고 밥을 먹는 거야.
소진이 웃으면서 형수에게 물었지.
왜 이렇게 공손하게 하십니까?
형수가 솔직하게 말했어.
서방님의 지위가 높고 재물이 많은 것을 알기 때문입니다.

소진이 한숨을 쉬면서 말했어.
날 업신여기던 친척들마저도 내가 부유해지자 날 두려워 하는데 다른 사람들은 오죽 할꼬….
그리고 나서 소진은 친척과 친구들에게 많은 돈을 나누어 주었어.
이걸 정말 우리에게 주는 거예요?
옛날 연나라로 갈 때 경비로 쓰기 위해 100전을 빌린 것은 아예 금으로 100개를 갚았고,
그 외에도 옛날에 은혜를 입은 사람에게 골고루 보답을 하였어.
은혜 갚은 소진
그때 한 하인이 앞에 나와 말했어.
저는 왜 아무것도 안 주십니까?
내가 너를 잊을 리 잊겠느냐. 너는 나를 따라 연나라로 갈 때 강가에서 여러 차례 나를 버리고 떠나려 했다.
그때 나는 정말 곤혹스러웠다. 그래서 너에 대한 보답을 제일 끝으로 미루었을 뿐이다.
부끄.. 부끄..
소진이 여섯 나라와 동맹의 약속을 맺고 조나라로 돌아오자.
귀환
조나라 왕은 그를 제후로 임명하여 우대했어.
그리고 동맹의 문서를 진나라에 보냈지.
전보
그 문서를 본 진나라 왕은 당분간 전쟁할 엄두를 못 내게 돼.
예전 소진의 말을 들었어야 했는데….
제 아무리 강한 '호랑'의 나라라고 하는 진나라지만 여섯 나라를 동시에 상대하기는 너무 버거웠거든.
깨갱~
동맹
동맹

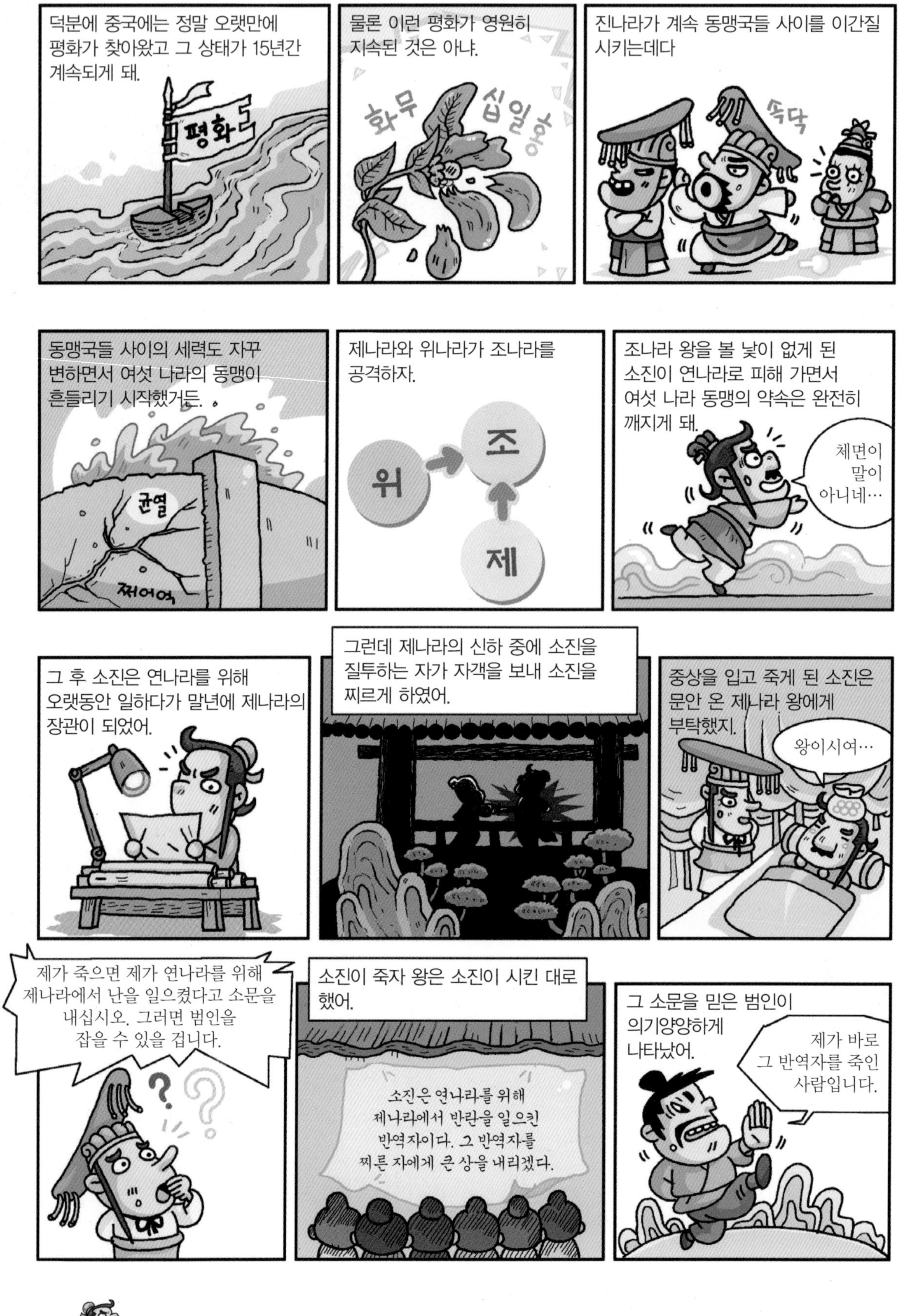
덕분에 중국에는 정말 오랫만에 평화가 찾아왔고 그 상태가 15년간 계속되게 돼.
평화
물론 이런 평화가 영원히 지속된 것은 아냐.
화무 십일홍
진나라가 계속 동맹국들 사이를 이간질 시키는데다
쏙닥
동맹국들 사이의 세력도 자꾸 변하면서 여섯 나라의 동맹이 흔들리기 시작했거든.
균열
쩌어억
제나라와 위나라가 조나라를 공격하자.
위
조
제
조나라 왕을 볼 낯이 없게 된 소진이 연나라로 피해 가면서 여섯 나라 동맹의 약속은 완전히 깨지게 돼.
체면이 말이 아니네…
그 후 소진은 연나라를 위해 오랫동안 일하다가 말년에 제나라의 장관이 되었어.
그런데 제나라의 신하 중에 소진을 질투하는 자가 자객을 보내 소진을 찌르게 하였어.
중상을 입고 죽게 된 소진은 문안 온 제나라 왕에게 부탁했지.
왕이시여…
제가 죽으면 제가 연나라를 위해 제나라에서 난을 일으켰다고 소문을 내십시오. 그러면 범인을 잡을 수 있을 겁니다.
소진이 죽자 왕은 소진이 시킨 대로 했어.
소진은 연나라를 위해 제나라에서 반란을 일으킨 반역자이다. 그 반역자를 찌른 자에게 큰 상을 내리겠다.
그 소문을 믿은 범인이 의기양양하게 나타났어.
제가 바로 그 반역자를 죽인 사람입니다.

바보 같은 자객이 그것이 자기를 잡기 위한 미끼인 줄도 모르고 상에 눈이 어두워 덜컥 나타난 거지.
걸렸다!
이렇게 소진은 사람의 심리를 꿰뚫어보는 자기의 재주를 마지막까지 사용하였지.
마지막 까지…
사마천은 말했어.
소진이 제나라에서 간첩 혐의를 받고 죽으니 사람들은 모두 그를 비웃고 그의 외교술을 배우기를 꺼렸다.
그러나 소진이 평범한 가정에서 태어나 여섯 나라를 동맹하게 한 것은
그의 지혜가 평범한 사람보다 뛰어났음을 보여주는 것이다.
위
조
제
한
연
초
동맹

제7장
맹상군-손님 대접하기에 힘쓰다.
맹상군열전

맹상군은 《사기열전》 제15편 맹상군 열전의 주인공이야.
맹상군열전

전국 시대 후기에 제나라의 실권을 장악하고 있던 인물인데,
모든 실권이 나에게 있다!
제

집에 찾아 온 손님이면 어떤 신분과 재주를 가진 사람이든 개의치 않고 극진히 대접하기로 유명한 사람이었어.
어서들 오시오~.

'세상에 쓸모 없는 사람은 아무도 없다' 라는 것이 그의 철학이었거든.
개똥도 약에 쓸 때가 있다!

그의 손님들 중에는 심지어 개 흉내를 내어 남의 집에 숨어 들어가는 것을 특기로 가진 사람.
멍~
멍~
멍~

닭 우는 소리 내는 것을 특기로 가진 사람도 있었는데,
꼬끼오~
이런 사람들은 도대체 어디에 쓸모가 있었던 걸까?
?
맹상군은 제나라에서 태어났어. 이름은 전문.
전문
제
맹상군은 그가 죽은 다음에 받은 이름이야. 이런 이름을 시호라고 하지,
맹상군!!
보통 우리가 부르는 왕의 이름들 예를 들어 태조, 세종, 정조 같은 이름들도 다 시호야.
태정태세문단세
예성연중
인명선
전문의 아버지는 왕족이면서 제나라의 재상을 지낸 전영이라는 사람이었는데
전문이 태어났을 때 전영에게는 이미 40명의 아들이 있었어.
계란한판 보다도 많아!
좀 많지?
아 들
전문이 천한 첩의 몸에서 5월 5일에 태어나자 전영은 그 아이를 갖다버리라고 했어.
내다 버리시오!
5월 5일에 태어난 아이는 그 아이가 아들이면 아버지를, 딸이면 어머니를 해친다는 속설이 있었거든.
5월5일
어린이날 인데…?
그러나 첩은 차마 자기 아들을 내버릴 수가 없어서 몰래 길렀어.
아무도 살지 않아!
전문이 어느 정도 자라자 그의 어머니는 전문을 아버지 전영에게 데려 갔어. 전영이 화가 나서 고함을 질렀지.
내 너에게 아이를 버리라고 하였는데
이 아이를 기른 이유가 무엇이냐?
전영의 집

그때 전문은 어머니를 대신해서 물었어.
아버지께서 저를 버리라고 하신 이유가 무엇입니까?
!!
5월에 태어난 아들이 키가 문만큼 자라면 부모를 해롭게 하기 때문이다.
전문이 뭐라고 말했는지 아니?
사람의 운명은 하늘에 달려 있습니까? 문에 달려 있습니까?
뭐라?
사람의 운명이 하늘에 달렸다면 어차피 아버지가 걱정한다고 해결될 일이 아니고,
만약 문에 달렸다면 문을 높이면 되지 않겠습니까?
아버지는 어린 아들의 총명한 말에 할 말을 잃고 말았지 뭐니.
똑똑하게 자랐군!
전문은 크면서 점점 영리해졌어.
흠
하루는 아버지에게 물었지.
아들의 아들을 무엇이라고 합니까?
손자라고 한다.
손자의 손자는 무엇이라고 합니까?
현손자라고 한다.
그럼 현손의 현손은 무엇입니까?
그건 모르겠구나.

그제서야 전문은 자기가 하고 싶던 말을 했어.
아버지께서는 제나라의 재상이 되어 천만 금이나 되는 부를 쌓았습니다. 그런데 아버지 밑에는 어진 선비가 하나도 없다는 것이 정말 이상합니다.
아버지의 후궁들은 아름다운 비단옷을 질질 끌고 다니고
아버지의 하인들과 첩들은 쌀밥과 고기를 실컷 먹지만,
선비들은 짧은 바지 하나 제대로 걸치지 못하고 쌀겨조차 배불리 먹지 못합니다.
꼬르륵...
배가 고프니 머릿속 지식도 다 사라져 버리는 것만 같다!
아버지께서는 쌓아 둔 것이 남아 도는데도 자꾸 더 쌓으려고만 할 뿐
나라가 점점 쇠약해지는 것은 잊고 계시니 정말 이상합니다.
병
제 나 라
이름도 모를 후손을 위해 돈을 쌓을 일이 아니고 그 돈으로 나라의 힘이 될 인재들을 불러 모아야, 나라를 더 강하게 할 수 있습니다.
전영은 크게 깨닫고, 전문에게 식객을 접대하는 일을 맡겼어.
앞으로 이 일은 네가 알아서 하거라.
그러자 전영의 집에는 식객이 넘쳐나기 시작했어.
우글
와글
전영의 집
와글
우글

식객이란 말은 '밥 먹는 손님' 이란 뜻인데, 단순히 밥만 먹는 사람들이라기보다는 일종의 협력자들이라고 할 수 있어. 이 사람들은 학문이든 무술이든 지혜든, 나름대로 자기가 가지고 있는 재주를 발휘하여 자기를 먹여주는 사람에게 보답했으니까.
또 언제든지 그 집을 떠날 수 있다는 점이 정식 신하들과는 다른 점이었어.
배도 채웠겠다! 슬슬 떠나볼까?
전국 시대의 제후들은 식객을 많이 거느릴수록 다른 제후들과의 경쟁에서 유리하다고 생각하였어.
식객이 재산이야
식객이 늘어나면서 전문의 이름은 제후들 사이에 유명해지게 되었고,
오빠
오빠
전문
전문
세월이 흘러 전영이 죽자 그의 영지였던 설 지방의 영주가 되게 돼.
영주
이제 영주도 되었으니 전문을 맹상군이라는 이름으로 부르기로 하자.
험!!
설 지방에는 선비로부터 재주꾼, 전과자까지 온갖 종류의 사람들이 모여들었어!
설 지방
와글
와글
맹상군이 그 사람들의 신분이 높고 낮음을 따지지 않고 모두 정성껏 대접하였어.
접
대

결과적으로 이 모든 식객들은 필요할 때 맹상군의 힘이 되어 주었지.
영차
영차
한번은 진나라 왕이 맹상군이 현명하다는 소문을 듣고 그를 진나라로 초빙하여 재상으로 삼으려고 한 적이 있어.
자네가 한 인물 한다며…
낚시….
제상?
진나라
그런데 어떤 이가 왕에게 말하길
맹상군은 제나라 왕족이니
진나라 재상으로 삼으면 안 됩니다.
그는 제나라의 이익을 먼저 생각하지 진나라의 이익은 그 뒷전일 것입니다.
그 말을 들은 진나라 왕은 오히려 맹상군을 가둔 다음, 기회를 보아 적당한 이유를 붙여 죽이려고 했어.
이놈 잘 걸렸다!
생명의 위협을 느낀 맹상군은 진나라 왕이 아끼는 첩에게 사람을 보내 자기를 풀어주도록 부탁해 달라고 했어.
제발 저의 주인을 풀어 주십시오!
맹상군이 가지고 있는 여우 털옷을 나에게 준다면 한번 생각해 보지요.
맹상군은 진나라에 와서 여우 겨드랑이의 흰털을 뽑아 만든 곱고 고운 털 옷을 왕에게 바쳤는데, 첩은 자기도 그 옷이 갖고 싶었던 거야.
품질이 아주 뛰어납니다!
!!
세상에 참 신기한 옷도 있지? 우리는 상상조차 하기 힘든 그 옷은 값이 천금이나 나갔다고 해.
내가… 그렇게나 비싸나….
그렇지만 문제는 값이 아니라 맹상군에게도 그런 옷은 하나밖에 없었다는 거야.
벌-렁
그 하나를 이미 왕에게
바쳤으니 어떡하냔 말이야.
고민에 빠진 맹상군이 식객들에게 대책을 물었지만 아무도 방법을 생각해 내지 못하고 있었어.

그때 맨 아랫자리에 앉아 있던 식객이 입을 떼었어.
제가 여우 털옷을 구해 오겠습니다.
자네가? 무슨 수로?
그 사람은 개 흉내를 내며 남의 집에 숨어 들어가 도둑질을 하는 사람이었는데,
멍
멍
멍
그 길로 진나라 궁궐에 숨어 들어가 여우 털옷을 훔쳐 돌아왔어.
뭐 식은 죽 먹기지. 헤헤.
이것을 받은 첩이 왕에게 부탁을 하자, 결국 왕은 맹상군을 풀어주라고 명령했어.
맘에 드십니까?
맹상군 일행은 왕의 마음이 변하기 전에 진나라를 빠져 나가기 위해 걸음아 날 살려라 하고 말을 몰았어.
국경을 빠져나가기 위해 통행증을 위조하고 이름과 성도 바꾸었지.
신분증 위조
그런데 한밤중이 되어 국경에 도착한 맹상군 일행에게 곤란한 일이 생겼어. 새벽이 되어 첫 닭이 울어야만 사람들을 내보내게 되어 있는 국경의 법에 따라 수비대가 문을 열어주지 않는 거야.
언제 진나라 왕의 군대가 쫓아 올지 모르는 상황에서 맹상군의 마음은 바싹바싹 타들어갔어.
이젠 어쩌나?
그때 식객 한 명이 닭 우는 소리를 내기 시작했어.
꼬끼~오
꼬끼~오
그러자 근처에 있던 닭들이 일제히 울기 시작하는 거야.
꼬끼오
꼬끼오
잠자던 수비대가 졸린 눈을 비비며 문을 열어주자 맹상군은 가짜 통행증을 보여주고 얼른 국경을 빠져 나왔어.
벌써 아침인가?
진나라 왕은 곧 후회하고 그를 당장 잡아 오라고 했지. 하지만 맹상군은 이미 국경을 벗어나 도망간 뒤였어.

맹상군이 개처럼 도둑질하는 사람과 닭 우는 소리 내는 사람을 식객으로 맞아 들였을 때, 다른 식객들은 그 사람들과 같은 자리에 앉는 것조차 부끄러워 했어.
어서들 오시게!
맹상군은 저런 녀석들까지 받아주나?
에이~ 같이 못 놀겠어!
그러니 그 사람들이 식객들 중에 제일 아랫자리에 앉았던 것도 당연하지.
우린 완전 찬밥일세 그려~.
그러게나 말일세!
그런데 그 두 사람이 맹상군을 죽음에서 살려내었으니…
아자! 나의 보물들!
사람들은 그때 이후 맹상군의 사람 보는 눈을 깨닫고 더욱 맹상군을 존경하게 되었다고 해.
그러나 맹상군에 대한 그런 존경이 때로는 엄청난 비극을 불러오기도 했어.
진나라를 벗어난 맹상군 일행이 조나라를 지날 때였어.
조나라
조나라의 왕족이 식사를 대접하겠다고 맹상군을 초대했어.
초청장
맹상군의 소문을 일찍부터 듣고 있던 조나라 사람들은 맹상군을 보려고 길에 몰려 나왔어.
그런데 사람들이 막상 맹상군의 얼굴을 보니 자기들이 생각하던 것과 인상이 다르더라 이거지.
저게 맹상군이야!
키가 큰 사내 대장부인줄 알았더니 직접 보니 불면 날아갈 정도로 쪼그만 사람이네.
뭣이라!
그 말을 들은 맹상군이 화를 낸 거야.
사람을 키만 가지고 평가하다니!

그랬더니 어떤 일이 일어났는지 알아? 수레에 타고 있던 맹상군의 식객들이 뛰어 내리더니 칼을 빼들고 그 자리에 있던 수백 명의 사람들을 죽여 버린 거야. 그리고 그것도 모자라서 마을로 뛰어 가서 마을 하나를 완전히 없애 버린 다음에야 그 곳을 떠났다고 해. 심하지? 요즘 말로 하면 '깡패'들이라고나 할까?
제나라 왕은 자기가 맹상군을 진나라로 보냈다가 맹상군이 죽을 뻔했기 때문에 마음이 편치 않았어. 그래서 맹상군이 돌아오자마자 그를 제나라의 재상으로 삼아 나라 일을 돌보게 했어.
집안 살림
그때 위모라고 하는 신하가 맹상군의 영지에서 나오는 세금을 대신 거둬오곤 했었는데
세금
그 해에는 위모가 세 번이나 영지에 갔다 오면서도 세금을 한 푼도 가져오지 않은 거야.
넌 왜 언제나 빈손이냐?
그게 말입니다.
어떤 어진 사람이 있어서 그 사람에게 모두 빌려 주었습니다.

맹상군은 화가 나서 위모를 내쫓아버렸어.
나가!!
뻥
몇 년 뒤, 어떤 사람이 맹상군을 모함했어.
맹상군이 반란을 일으키려 합니다.
그 때문에 맹상군은 나라 밖으로 도망을 쳐야 했지.
줄행랑
그때 몇 년 전 위모에게서 세금을 빌렸던 어진 사람이 왕에게 편지를 썼어.
맹상군이 반란을 꾀할 리가 없습니다.
그리고는 궁궐 문 앞에서 자기 목을 찔러 죽은 거야.
그가 결백하다는 것을, 이 한몸 바쳐 증명하겠습니다.
깜짝 놀란 왕은 맹상군에 대해 다시 조사하게 했고,
처음 부터 다시 조사해!
결국 맹상군이 결코 반란을 꾀하지 않았다는 것을 알고 돌아오게 했다고 해.
Come back home
또 한 사람, 풍환이라는 사람이 있었어. 그는 일찍이 맹상군을 찾아왔을 때 다음과 같이 자신을 소개했어.
제가 가진 재주는 아무 것도 없습니다. 그냥 당신께서 선비를 좋아하신다기에 가난한 이 한몸 당신께 맡기려 합니다.
식객은 나쁘게 얘기하자면 어떤 사람에게 밥을 얻어 먹고 사는 사람이지만,
작년에 왔던 각설이!!
그냥 공짜 밥을 먹는 건 아냐. 주인에게 어떤 정책을 건의한다거나 무술이 뛰어나서 주인을 위기에서 구하거나, 여하튼 한 가지 재주 이상은 있는 사람들이지.
식객!!!
재주꾼

그래서 식객들은 주인의 호감을 얻기 위해 자기 재주를 과장하곤 해. 그렇게 본다면 풍환은 지나치게 솔직했던 셈이지.
풍환은 1년이 넘도록 밥만 먹고 빈둥거리고 놀았지.
청산리~
당시 맹상군은 3,000명이 넘는 식객들을 거느리고 있었는데
3000명
식구가 넘 많은가 보다!
더 이상은 못 버티겠어!
자기 영지에서 나오는 세금만으로는 그 사람들을 다 먹이기가 힘들어서, 돈놀이를 시작했어.
돈빌려줌
싼 이자!
신용불량자 가능!
담보 없이 즉시 대출!
그런데 1년이 지나도 돈을 빌려 간 사람들이 이자를 안 내는 거야.
돈놀이가 쉬운게 아냐!
마침 하는 일 없이 놀고 있던 풍환이 이자를 걷는 책임자로 영지에 보내졌어.
떼인 돈 받아 줌!
해결사
이런 것 쯤이야! 식은 죽 먹기지!
풍환은 맹상군에게 돈을 빌린 사람들로부터 이자를 10만 전이나 거두었어.
10만
그런데 그 돈으로 술을 사고 소를 잡아, 돈을 빌려간 사람들에게 다 먹여 버렸어.
많이 줘~
자선사업 ?
심지어 아주 가난해서 이자를 낼 수 없는 사람들에게는
나무 껍질이라도 먹어야 살지…
아예 돈 빌린 문서를 달라고 해서 그 자리에서 불질러 버리기까지 했어.
집문서
그 소문을 듣고 화가 난 맹상군은 풍환을 데려오게 했어.
come on~
나는 식객들을 먹여 살리기 위해 돈놀이를 했던 것이오.

하지만 돈을 빌린 백성들이 이자조차 내지 않아 선생을 파견했던 것이오.
그런데 선생은 돈을 받은 즉시 그것을 술과 소를 사는 데 다 써버렸고,
돈 문서까지 불살라 버렸다니 도대체 이게 어찌 된 일이오?
술과 소가 없이는 돈 빌린 사람들을 다 불러들일 수가 없어서 그렇게 했습니다.
또 사람들을 모으지 않으면 돈 있는 자와 돈 없는 자를 알아내기 힘들어서 그렇게 했습니다.
여유 있는 자는 갚을 날짜를 정해 주었으니 곧 이자를 받을 수 있게 될 겁니다.
진짜 가난한 사람들에게는,
돈 문서를 10년 동안 가지고 있다고 해도 돈을 받기 힘듭니다.
더구나 성급하게 독촉을 하게 되면 바로 달아나 버릴 것이니
이자는 영원히 받지 못할 것입니다.
이자
쓸모없는 돈 문서를 불살라서 받을 수 없는 돈을 버림으로써,
백성들을 격려하여 백성들이 당신을 가까이하고 당신의 이름을 드러내고자 한 것입니다.
푸하하하! 정말 잘 하셨소이다!

맹상군의 명성이 갈수록 높아지자.
명
성
불안해진 제나라 왕은 맹상군을 벼슬에서 물러나게 했어.
당장 그 자리에서 내려 와!
재상
그러자 그 많던 식객들은 하나 둘 그의 곁을 떠나갔어!
더이상 얻어 먹을것도 없다!
하지만 풍환만은 떠나지 않았어.
싸나이~
우리의
풍 환
저에게 진나라로 타고 갈 수레를 한 대만 빌려 주십시오.
제가 당신을 제나라에서 다시 등용될 뿐만 아니라 영지도 더 많아지게 해 드리겠습니다.
맹상군으로부터 수레와 예물을 받은 풍환은 그 길로 진나라 왕을 찾아가 말했어.
진나라와 제나라는 서로 자웅*을 겨루고 있습니다.
그러나 두 나라가 모두 웅(수컷)이 될 수는 없으니
어느 나라든지 웅이 되는 나라가 천하를 얻게 될 것입니다.
天下
그러자 진나라 왕이 풍환에게 무릎을 꿇고 물었어.
어떻게 하면 웅이 될 수 있겠습니까?

*자웅(雌雄) – 암컷 자(雌)수컷 웅(雄). 강약, 승부, 우열을 비유하는 말.

이때 풍환이 말했지.
제나라를 이렇게 큰 나라로 만든 사람은 맹상군입니다.
맹상군
제나라는 그런 맹상군을 쫓아냈습니다.
맹상군은 마음속으로 제나라를 원망하고 있을 겁니다.
제나라의 속 사정을 누구보다 잘 아는 맹상군이니
제나라
그가 진나라에 오기만 한다면 진나라는 천하의 웅이 될 수 있을 겁니다.
진나라 왕은 기뻐하며 많은 예물을 맹상군에게 보내 초청하였어.
맹상군을 초청하는 사자가 제나라에 도착하기 전에
풍환은 얼른 제나라로 돌아왔어.
훌쩍
진
제
그리고 제나라 왕에게 말했지.
제나라와 진나라는 서로 자웅을 겨루고 있습니다.
그러나 두 나라가 모두 웅이 될 수는 없습니다….
天
제나라
진나라
下

진나라에서 많은 예물을 보내 맹상군을 맞이하려 한다고 합니다.
진
맹상군이 진나라로 가게 되면 진나라는 웅이 되고 제나라는 자(雌)가 될 것입니다.
지금이라도 맹상군을 다시 등용하시고
영지도 늘려주어 맹상군의 마음을 돌리게 하십시오.
그때 정말 국경에 진나라에서 보낸 사자가 들어오고 있었어.
사신 행렬
제나라 왕은 급히 맹상군을 불러
맹상군!
다시 재상 자리를 주고 영지도 이전보다 더욱 넓혀 주었다고 해.
맹상군이 다시 재상에 오르자
재상
풍환은 찾아오는 식객들을 맞이할 준비를 했어. 그것을 본 맹상군은 마음이 상해 말했어.
나는 식객 대접하기를 좋아하여 언제나 최선을 다해 그들을 대접했소.
그러나 내가 재상 자리에서 물러나자 하루 아침에 그들은 나를 버리고 떠났소.
그들이 무슨 낯으로 나를 만나겠소?

만약 그들이
돌아오면
나는 그 얼굴에
침을 뱉고 싶소.
이 말을 들은 풍환은 수레에서 내려와
절을 하며 말했지.
돈이 많고
자리가 높으면
사람들이 모여드는
것은 당연한
이치입니다.
당신이 지위를 잃자
선비들이 모두
떠나버렸다고 해서
일부러 식객들이
오는 것을
막을 필요까지는
없습니다.
이전과 마찬가지로
식객들을 대우하시기
바랍니다.
맹상군은 수레에서 내려 두 번 절하고 말했어.
삼가 말씀대로
따르겠습니다.
고맙습니다!
사마천은 말했어.
나는 일찍이 맹상군의 영지에
들른 적이 있는데, 그 곳의 풍속은
맹자의 고향인 추나라나
공자의 고향인 노나라와 달라,
난폭하고 사나운 젊은이들이 많았다.
그 이유를 물으니, 사람들이
'맹상군이 천하의 협객들과 무법자들을
불러 들였기 때문이오' 라고 하더니,
그 말이 헛소문이 아니로구나.

제 8 장 한신-가랑이 밑으로 기어 나가다.

한신은 《사기열전》 제32편
회음후열전에 나오는 장군이야.
회음후열전

나중에 회음이라고 하는 동네의
영주가 되었기 때문에
'회음후 한신'이라고도 해.
회음후

알아 주는 사람이 없어 고향에서
빈둥거리며 지내던 시절,

건달들이 그를 놀리면서 자기 가랑이 밑으로
지나 가라고 하자 그까짓 일로 신경 쓸 필요조차
없다는 듯이 그들의 요구를 들어준 일로 아주 유명한
사람이지.

그럼 그가 정말로
신경 썼던 일은
무엇이었는지
한번 알아볼까?
대장부 길

한신은 초나라의 회음이라고 하는 곳의 아주 가난하고 보잘 것 없는 집안에서 태어났어.
응애~
응애
초나라
그렇지만 어릴 때부터 큰 꿈과 기개를 가지고 있었지.
그러나 집안 형편이 어렵다보니 언제나 남에게 빌붙어 얻어 먹어야 할 형편이었어.
회음에서도 작은 동네인 남창이라는 곳의 정장*네 집에서 눈칫밥을 얻어먹을 때였어. 정장의 아내가 여러 달 동안 한신이 나타나면 밥을 차려 줬는데…
만날 빈둥거리는 꼴이 보기 싫어 아예 아침 먹는 시간을 새벽으로 당겨 버렸어.
한심하긴…
그리고는 한신이 아침 시간에 나타나도 상을 차려주지 않았지.
흥!

*정장 – 동네의 치안을 책임지는 사람으로 지금의 파출소장 정도 되는 벼슬.

동네 강가에서 낚시를 할 때였어.
밥 먹을 때가 돼도 아무 것도 먹지 않고 굶고 있는 한신을 불쌍하게 여겨
옆에서 빨래를 하던 아주머니가 자기 먹을 것을 덜어서 나눠 줬지.
내 언젠가는 이 은혜를 반드시 갚겠소.
그랬더니 아주머니는 다음과 같이 말했지.
사내대장부가 제 힘으로 살아가지도 못하기에 내가 젊은이를 가엾게 여겨 밥을 드렸을 뿐이오. 보답받기를 바라서 그렇게 했겠소?
회음의 사람들은 대부분 한신을 비웃음거리로 여겼어. 하루는 동네 건달들이 칼을 차고 있는 한신을 시장 바닥에서 만났어.
저게 그 유명한 못난이군!
저기 칼 든 한량 한신이 온다!

건달들은 한신을 놀렸지.
네놈이 큰 덩치에 칼을 차고 폼을 잡고 있지만 마음속으로는 겁쟁이인 것을 다 안다.
그렇지만 한신이 끄덕도 않자
그래서?
네놈이 죽기를 두려워하지 않는다면 나를 찔러봐라.
만일 죽음이 두렵다면 내 가랑이 밑으로 기어서 지나가라.
순식간에 구경꾼들이 몰려들었어.
와글
와글
한신이 어떻게 하는지를 보려고 말이야. 한신은 이들을 한참 동안 물끄러미 바라 보다가 두 말 없이 큰 몸을 구부려 건달의 가랑이 밑으로 기어 나갔어.
한신은 자존심도 없나봐!
이놈 정말 바보군!
푸하하! 창피한 줄도 모르는 놈!
너희들 한신처럼 되면 안 돼!

사람들은 한신이 진짜 겁쟁이가 틀림없다고 여겼을지 모르지만 한신의 마음속은 그게 아니었지.
네깟 놈들의 쓸데없는 용기는 상대할 가치조차 없다.
진나라 시황이 죽은 후 나라가 혼란에 빠지자 여기저기서 내로라 하는 장군들이 서로 자기가 천하를 차지하겠다고 하며 군사를 일으켰어.
그때 한신은 고향을 떠나 항우의 군대에 들어갔어. 항우는 초나라의 장군으로, 한나라 출신의 유방과 실력을 겨루게 되는 유명한 인물이야.
내가 그 유명한 초패왕 항우다!
楚
한신은 항우의 시중꾼인 낭중으로 일하면서 여러 차례 계책을 올렸는데 항우가 이를 받아 들이지 않았어.
이러쿵~
저러쿵~
한신을 시원찮게 봤던 거지.
생긴 것 부터가 맘에 안 들어!
이에 한신은 초나라를 떠나 한나라의 유방에게로 갔어.
한
초

거기서 곡식 창고를 관리하는
연오라는 자리를 맡았는데
곡식
연오
어떤 일로 법을 어겨서 다른
열두 사람과 함께 사형을 받게 되었어.
푸우
열두 사람의 목이 차례로 잘리고
드디어 한신의 차례가 됐어.
흥!
한신이 갑자기 고개를 들더니 사형 집행을 주관하고
있던 유방의 장수를 바라보며 따져 물었어.
이보시오!
폐하는 천하를 얻으려 하지
않으시는가?
그런데 어째서 대장부를
죽이는가?
뭐라?
두려워서 아무런 군말 없이 목을
내밀고 죽는 다른 사람과 달리
용감하게 대드는 한신이 기특해
장수가 그를 살려줬지.
구사일생
휴우
그리고는 한신을 불러 얘기를 나눠보니
보통 사람이 아니다 싶은 거야.
천하 통일을
위해서는
인재를 많이
등용하시고…
그래서 소하에게 추천했지.
추천
당시 한나라의 재상으로 유방의 신임을 받고 있던
소하도 한신의 재능을 알아보고 유방에게 추천했어.
필요한
인물입니다!
한신
이라고?
폐하!
한신이라
합니다.
그러나 유방은 한신을
그다지 대단한 인물로
여기지 않았어!
뭐
별로…
그래서 기껏 식량과
말 먹이를 관리하는 자리를
주었을 뿐이야.
밥 줘!

이 무렵 유방은 적극적으로 싸움을 하러 나서지 않고 한번 자리 잡은 곳에 머물러 있었는데,
지금은 잠시
물러서 있을 시기요!
한나라 장교 수십 명이 그런 유방에게 실망하여 도망을 쳤어.
까짓것 여기 아니면 뭐 갈 데가 없나!
유방에게 기대할 게 없다고 생각한 한신도 이 무리에 끼어 도망을 쳤어.
난! 자유인이다!
그런데 그 소리를 들은 소하가 이들을 추격하러 떠났어.
반드시 잡아야 한다!
두 두
두 두 두
소하가 도망쳤다는 보고를 받은 유방은 무척 실망했어.
폐하! 소하도 도망친 것 같습니다!
뭣이라!
소하는 유방이 가장 신뢰하고 믿던 부하였거든. 그런데 며칠 뒤에 소하가 나타났어.
그대가 날 버리면 난 어쩌란 말이오!
유방이 뛸 듯이 기뻐하며 물었지.
어째서 그대는 도망갔소?
폐하!
그럴 리가 있습니까? 제가 도망친 게 아니라 도망친 자를 잡으러 뒤쫓아 간 것입니다.
그가 도대체 누구요?
그대는 그동안 많은 장수들이 도망쳤지만 한번도 잡으러 쫓아간 적이 없지 않소?
다른 장수는 쉽게 얻을 수 있습니다.
그러나 이 나라에 한신과 같은 인물은 다시 없습니다.
왕께서 계속 한나라의 왕으로만 만족하신다면 한신 같은 인물은 필요 없습니다. 그러나 천하를 얻고 싶으시면 한신이 필요합니다. 그를 등용하십시오.

그제서야 유방도 한신을 다시 보게 되었어.
우리에게 없어서는 안 될 인물입니다!
그렇게 훌륭하단 말이지?

유방이 곧 대장을 임명하겠다고 발표하자 여러 장수들은 자신이 승진할 것으로 기대했지. 그런데 막상 유방이 임명한 것은 한신이었어. 사람들은 깜짝 놀랐지.
漢
이제부터 천하는 내 손아귀에 있다!

임명식이 끝난 뒤 유방은 한신에게 물었지.
대장은 어떤 계책이 있소?
이제 왕께서 동쪽으로 나가 천하의 대권을 다툴 상대는 초나라의 항우가 아니겠습니까?

왕께서는 용감하고 사납고 어질고 굳센 점에서 항왕*과 비교해 누가 낫다고 생각하십니까?

***항왕** – 항우

유방이 솔직하게
대답했어.
내가
항왕만
못 하오.
한신은 두 번 큰 절을 올리며
유방이 자신을 정확히 알고 있음을
칭찬한 뒤에 이렇게 말했어.
저도 그렇게
생각합니다.
그러나 저는 일찍이
그를 섬긴 적이 있기에
그의 사람됨을 잘 압니다.
항왕이 화를 내며 큰소리를 지르면
모든 사람이 엎드리지만 그가
어진 장수를 믿고 일을 맡기지 못하니
그의 용기는 그저 보통 남자의
그것에 지나지 않습니다.
또 항왕은
누가 병에 걸리면
눈물을 흘리고
음식을 나눠주는 등
공손하고
자애롭지만
아랫사람이 공을 세워 벼슬을
줘야 할 때가 되면 망설이고
또 망설이며 아녀자같이
속 좁게 굽니다.
또 항왕은 하도 거칠어서 그의 군대가 지나간 곳이면 학살과 파괴가 없는 곳이 없습니다. 이런 일로 인하여
천하의 많은 사람들이 그를 원망하고 백성들은 그를 따르려 하지 않습니다.
그러나 왕께서는 지난 번
무관 땅으로 들어갔을 때 털끝만큼도
백성들을 해치지 않았고 진나라의
가혹한 법률도 없앴습니다.
진나라 백성들 가운데 왕께서
자기의 왕이 되기를
바라지 않는 사람은 없으니,
폐하!
우릴 버리지
마소서!
우리의
주인이
돼주세요!

이제 병사를 이끌고 동쪽으로 가면 격문을 돌리는 것만으로도
항왕에게 굴복했던 옛 진나라 땅을 차지할 수 있을 겁니다.
유방은 한신의 말을 듣고 동쪽으로 나갔는데,
정말 옛 진나라의 땅을 바로 평정할 수 있었어.

그후 한신은 많은 전투에서 큰 승리를 거뒀어.

한신이 병사 수만 명을 이끌고
조나라를 칠 때였어.

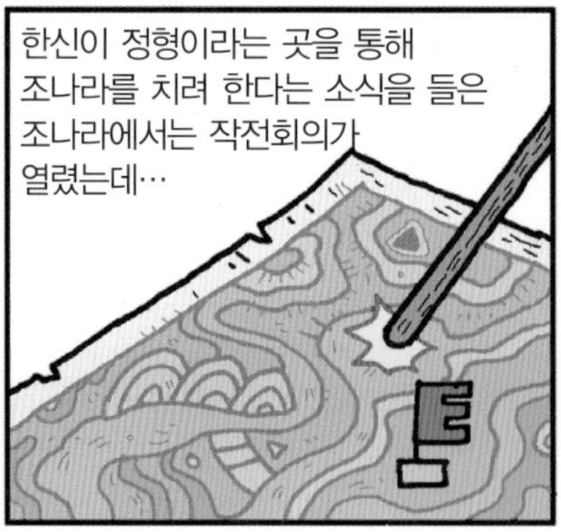
한신이 정형이라는 곳을 통해
조나라를 치려 한다는 소식을 들은
조나라에서는 작전회의가
열렸는데…

그때 광무군이라는 장군이 말했어.
정형 근처는 폭이 좁아 수레가 한 대밖에 못 지나가는 험준한 곳입니다.

틀림없이 군량미 수송대는 뒤에 있을 것이니 저에게 3만 명을 주시면 그들의 뒤를 기습하여 군량미 수송대를 끊어 놓도록 하겠습니다.
조나라 군대는 한신의 군대와 직접 맞붙어 싸울 필요 없이 성에서 나오지 않고 버티면 됩니다.
그러면 두 달도 안 돼서 한신 군대는 먹을 게 없어 항복할 겁니다.
그러나 조나라의 대장군은 이런 기발한 책략에 반대했어. 그는 늘 자기나라 군대를 정의의 군대라고 부르면서 싸움을 할 때도
그건 말도 안 되오!
!!
꼼수를 써서는 안 된다고 주장하는 사람이었거든.
한신의 군사는 말로는 수만 명이라고 하지만 실제로는 수천 명에 지나지 않을 것이오. 그것도 먼 길을 와 지칠 대로 지쳐 있을 것이니 정면에서 맞아 싸우면 될 것이오.
첩자를 통해 광무군의 계책이 받아들여지지 않았다는 소식을 들은 한신은 안심하고 험난한 정형 길을 통과했지.
조나라
그리고는 가볍게 무장한 병사 2,000명을 뽑아서 붉은 깃발을 하나씩 들고 샛길로 가서 산 속에 숨어 있도록 했지.
내일 전투 때 조나라 군사와 싸우다가 우리 군사가 달아날 것이다.
그러면 조나라 군사는 성벽을 비우고 우리를 쫓아 올 것이다. 그때 너희는 조나라 성벽을 기어 올라가 조나라 깃발을 뽑고 한나라의 붉은 깃발을 세워라.
그리고는 또 군사 만 명을 정형 입구에 강을 등지고, 진을 치게 했어. 조나라 군대는 이것을 보고 비웃었지.
푸하하! 전술도 모르는 한신이구나!

원래 병법에는 물을 앞에 두고 진을 치도록 되어 있거든. 물을 등지면 나중에 싸우다가 밀렸을 때 도망갈 데가 없어 물에 빠져 죽잖아?
부하들을 다 죽이려 작정을 했구나!
다음날 한신이 대장 깃발을 앞세우고 조나라 군사가 머물고 있는 성벽 앞으로 나가자 조나라 군사가 문을 열고 나와 싸움이 벌어졌어.
이놈들! 어디 한번 붙어보자!
와~
한참 싸우다가 한신이 거짓으로 북과 기를 버리고 강기슭 진지로 달아나자 조나라 군사는 이들을 쫓느라 성벽을 비워 놓고 나왔지.
저기 한신이 도망친다! 반드시 잡아라!
와~
후퇴다!
와~
와~
이틈을 타서 산 속에 숨어 있던 2,000명의 한신 병사들이 성 안으로 들어가서 한나라 깃발을 꽂았어.
그동안 강가에서는 큰 싸움이 벌어졌어. 조나라 군대가 숫자는 많았지만 뒤로 물러날 곳이 없는 한신 병사들은 젖 먹던 힘까지 다해 죽을 각오를 하고 싸웠지.
조나라 군대가 이길 수가 없어 성으로 돌아가려고 했지만, 이미 성은 온통 한나라 깃발로 펄럭이는 거야.
이미 성의 주인은 바뀌었다!
썩 물러가라!
조나라 병사들은 완전히 졌다고 생각하고 우왕좌왕 했어. 한신은 대승을 거뒀어.

이때 '물을 등지고 진을 친다.'는 뜻의 '배수진'이란 말이 생겼는데,
배수진
사람들이 '배수진을 친다'고 말할 때는 '더 이상 물러날 곳이 없다', '죽을 각오로 싸운다'라는 뜻이야.
한신은 이어 초나라의 이웃 나라인 제나라를 쳤어.
제
한신
이때 초나라에서 제나라를 돕기 위해 용저라는 유명한 장수를 보냈는데
한신과 용저는 유수라는 강가에서 싸움을 벌였어.
이놈, 용저! 이 한신의 검을 받아라!
이놈, 한신! 네 놈 피로 이 유수를 적시겠다!
그런데 한신이 또 꾀를 냈지. 강 상류에 모래 주머니를 쌓아 물을 막아두었다가
빨리 시간이 없다!
싸우는 도중에 못 이기는 척하고 도망을 쳤지. 용저의 군대가 뒤쫓아 갔겠지?
날 잡을 수 있으면 잡아보거라!
한신이 도망친다 놓치지 마라!

한신의 군대가 먼저 강을 건넌 후 뒤쫓는 용저의 군대가 강 중간쯤에 이르렀을 때였어.
한신이 상류에 쌓아둔 모래주머니를 터트리라고 명령했어.
순식간에 수만 명이 물에 휩쓸려 죽었지.

한신이 제나라를 평정하자 한나라 왕 유방은 그를 제나라의 왕에 임명했어.

한편 용저가 죽고 한신이 제나라의 왕이 되자 초나라의 항우는 슬그머니 겁이 나서, 사신을 보내 한신을 꼬였어.
사자

한나라의 유방은 그리 믿을 사람이 못됩니다. 항왕께서 여러 번 유방을 잡은 적이 있었지만

매번 가엾게 여겨 살려주었는데, 그는 위기를 벗어나면 약속을 어기고 항왕을 공격하니 어찌 믿을 만한 사람이겠습니까?

지금 천하는 한신 장군 그대에게 달렸습니다. 장군이 항우 편을 드느냐, 유방 편을 드느냐에 따라 천하의 판세가 결정 납니다.
번쩍
이리와 한신!
이봐! 한신 나에게 붙으라구?
천하

장군은 항왕과 많은 인연이 있지 않습니까? 항왕을 도와 천하를 평정합시다.
나는 일찍이 항왕을 섬긴 적이 있지만, 그는 나를 인정해 주지 않았습니다.
그러나 한나라 왕은 나를 대장군으로 삼고 내 계책을 받아 줬습니다.
믿음
남이 나를 믿는데 그를 배신하는 것은 옳지 못합니다.
믿음
그러자 이번에는 제나라의 전략가인 괴통이라는 사람이 한신을 만나 한나라 왕과 결별할 것을 꼬드겼지.
제나라를 중심으로 장군이 독립하면 천하의 제후들이 모두 장군에게 충성할 겁니다. 그러면 한나라와 초나라도 싸움을 멈춰 천하는 3등분이 될 겁니다.
그러나 이번에도 한신은 한나라 왕과의 의리를 저버릴 수 없다고 하면서 거절했어.
의리
괴통이 말했지.
옛날에 대부인 종과 범려는 월나라 구천을 도와 월나라가 강성해지도록
공을 많이 세웠습니다. 그러나 그 뒤에 종과 범려는 구천에게 죽었습니다.
들짐승이 다 없어지면 들짐승을 잡는 데 썼던 사냥개를 삶아 먹는 이치와 같습니다. 장군은 이 점을 깊이 생각하십시오.
깨갱~
사냥이 끝나면 사냥개가 잡아먹힌다는 뜻의 토사구팽(兎死拘烹)이라는 말이 여기에서 유래했어.
兎死拘烹
한신은 망설였지만 차마 한나라를 배반할 수는 없었어. 자신이 세운 공이 많은데 설마 한나라 왕이 자기를 내치기야 하랴 하고 생각했지.
흠!

그 뒤 유방과 항우는 해하에서 만나 최후의 일전을 겨뤄 유방이 승리하고 드디어 한나라가 천하를 통일했어.
天下
황제가 된 유방은 이제 제나라에서 터를 잡고 있는 한신이 맘에 걸렸어.
제
다 좋은데 한신이 맘에 걸려!
그래서 그의 군사를 빼앗고는 초나라 왕으로 옮기도록 했어. 그의 기반을 뺏으려는 거였지.
초 나라로 가!
한신은 초나라에 이르러 젊어서 굶을 때 밥을 먹여줬던 빨래터의 아낙을 찾아 천 금을 내렸지.
이 많은 돈을…!!
남창의 정장에게는 백 금만 줬어.
난 왜… 쬐금…
그대는 소인이다. 남에게 은덕을 베풀다가 중도에 그만 뒀으니 말이다.

그러고는 자기를 가랑이 사이로 기어가게 한 자를 찾아서 중위라는 벼슬자리를 주면서 말했어.
이 사람이 나에게 모욕을 줬을 때 내가 그를 죽일 수도 있었다.
그러나 그를 죽이더라도 내 이름이 유명해질 것이 없었기에 참았다. 그 덕분에 오늘의 공을 이룬 것이다.
초나라 항우 밑에 있다가 도망친 종리매라는 장군이 있었어. 이 사람이 원래 한신과 사이가 좋았기 때문에 항우가 죽은 뒤 한신에게로 왔어.
그 소문을 들은 한나라 황제가 종리매를 사로 잡으라고 명령했어. 황제는 종리매가 항우의 부하일 때 그에게 당했던 경험을 잊지 않고 있었거든.
당장 잡아 와!
그렇지만 한신은 자기를 믿고 찾아온 종리매를 차마 잡을 수 없었지. 한신이 미적거리고 있자,
한신이 반란을 일으켰다.
반역?
누군가 황제에게 한신이 반란을 일으킨다고 일러바쳤어. 황제가 군사를 데리고 초나라를 치러 왔지.
한신이 진짜 반란을 일으켜서 한판 붙을까 어쩔까 고민하고 있을 때
나가서 함 붙어버려..
한 신하가 말했어.
종리매의 목을 베서 황제에게 보이면 기뻐할 것입니다.
한신이 종리매를 불러 의논하자 종리매는
한나라가 초나라를 치지 못하는 이유는 내가 장군 밑에 있기 때문입니다.
만일 장군이 나를 잡아서 한나라에 잘 보이려고 한다면 내가 오늘이라도 죽겠습니다. 그러나 그러면 장군도 곧 뒤따라 망할 것입니다.
그리고 스스로 목을 찔러 죽었지.
컥
장군은 훌륭한 인물이 아니오.
한신은 그의 목을 가지고 황제에게 갔어.
미안허이, 종리매!

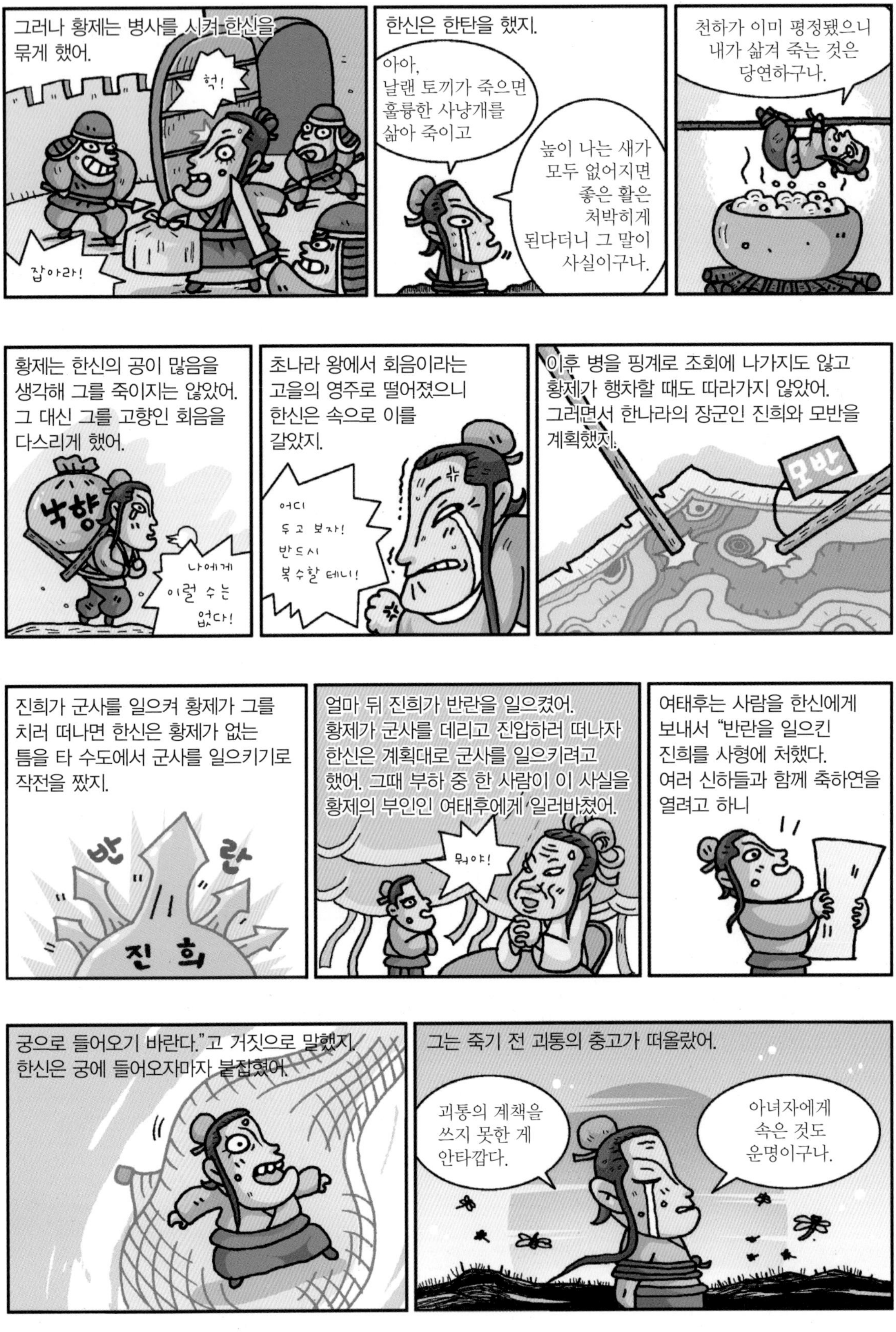
그러나 황제는 병사를 시켜 한신을 묶게 했어.
헉!
잡아라!
한신은 한탄을 했지.
아아, 날랜 토끼가 죽으면 훌륭한 사냥개를 삶아 죽이고
높이 나는 새가 모두 없어지면 좋은 활은 처박히게 된다더니 그 말이 사실이구나.
천하가 이미 평정됐으니 내가 삶겨 죽는 것은 당연하구나.
황제는 한신의 공이 많음을 생각해 그를 죽이지는 않았어. 그 대신 그를 고향인 회음을 다스리게 했어.
낙향
나에게 이럴 수는 없다!
초나라 왕에서 회음이라는 고을의 영주로 떨어졌으니 한신은 속으로 이를 갈았지.
어디 두고 보자! 반드시 복수할 테니!
이후 병을 핑계로 조회에 나가지도 않고 황제가 행차할 때도 따라가지 않았어. 그러면서 한나라의 장군인 진희와 모반을 계획했지.
모반
진희가 군사를 일으켜 황제가 그를 치러 떠나면 한신은 황제가 없는 틈을 타 수도에서 군사를 일으키기로 작전을 짰지.
반란
진희
얼마 뒤 진희가 반란을 일으켰어. 황제가 군사를 데리고 진압하러 떠나자 한신은 계획대로 군사를 일으키려고 했어. 그때 부하 중 한 사람이 이 사실을 황제의 부인인 여태후에게 일러바쳤어.
뭐야!
여태후는 사람을 한신에게 보내서 "반란을 일으킨 진희를 사형에 처했다. 여러 신하들과 함께 축하연을 열려고 하니
궁으로 들어오기 바란다."고 거짓으로 말했지. 한신은 궁에 들어오자마자 붙잡혔어.
그는 죽기 전 괴통의 충고가 떠올랐어.
괴통의 계책을 쓰지 못한 게 안타깝다.
아녀자에게 속은 것도 운명이구나.

그때 그의 말을 따르지 않은 것을 후회한 거지.
후회해도 버스는 이미 떠난 뒤야.
부~릉
버스
여태후는 한신과 그의 일가족을 모두 죽였어.
굴비 엮듯……
사마천은 말했어.
한신이 도리를 배워 겸양의 태도로 자신의 공로를 뽐내지 않고
능력을 자랑하지 않았다면 후세에 사당에서 제사를 받을 수 있었을 것이다.
반란
그런데 그렇게 되려고 애쓰지 않고 천하가 이미 안정되었는데 반역을 꾀했으니 온 집안이 망한 것도 당연하지 않은가!

제9장 흉노-중국과 겨루다.

흉노
매
애
애
애

흉노는 《사기열전》 제50편 흉노 열전에 나오는 민족의 이름이야.
우리는 용맹스러운 흉노다!
흉노

열전은 중국의 인물들에 대해 주로 쓰고 있지만 중국 주변에 있던 민족들에 대해서도 쓰고 있다는 얘기는 1장에서 했지?
중국 본토만이 전부는 아냐!
변방
우리나라의 역사도 《사기열전》의 55번째인 조선 열전에서 다룬다고 했잖아!

흉노는 아주 오랜 옛날부터 중국 북쪽에 살았는데
흉노
동호
월지
중국 본토 (한나라)

'말에서 나서 말에서 죽는다' 라는 말을 들을 정도로 일생을 말과 함께 살았어.
생사고락

이 사람들은 보통 때는 가축을 기르고 짐승을 사냥하면서 살지만
매애-
매애애-

위급할 때는 온 마을 사람들이 전쟁에 참가하는데, 워낙 말을 타는 솜씨가 뛰어나서 그들을 막을 상대가 없었어.
말을 타려면 이 정도는 돼야….
그런데 진나라, 한나라 때에 중국이 점점 커지면서 흉노와 자주 싸움이 일어났지.
푸우
중국본토 영역 확장
커져라! 커져!
이것들이 어딜 넘봐!
사마천은 이장군 열전, 흉노 열전, 위장군 · 표기 열전, 대원 열전 등 많은 곳에서 흉노에 대해 다루고 있는데
이장군 열전
흉노 열전
위장군 · 표기 열전
대원 열전
여기서는 '흉노 열전'에 나온 이야기 중에서 한나라 때의 이야기를 들려줄게.
흉노열전
흉노는 중국 북쪽 초원 지대에서 말이나 소, 양을 기르면서, 가축이 먹을 풀과 물을 찾아 옮겨 다니며 사는 민족이었어.
유목민
농사를 짓지 않았고 글이나 책이 없이 말로써 서로 약속을 하곤 했지.
돈 꾼 적 없어! 증거 있어?
매애-
뭐라고!
그렇지만 어린이도 양을 타고 활을 쏘아 새나 쥐를 잡을 줄 알고
끼릭
매애-
조금 자라면 여우나 토끼를 잡아 먹을 수 있을 정도로 활을 잘 쏘았고
전쟁을 하다가 불리하면 얼른 말을 타고 달아나 버리기 때문에 중국이 상대하기가 만만치 않은 민족이었어.
도망가자! 후퇴다!
중국에서 한나라와 초나라가 서로 다툴 때쯤 흉노족의 왕은 두만이라는 사람이었어.
내가 이 초원의 주인이다!
흉노는 '왕'을 자기 나라 말로 '선우'라고 불렀으니까 정확하게 말하자면 두만 선우지.
두만 선우

이 두만 선우에게 묵돌이라는 아들이 있었는데 이미 묵돌을 태자로 삼았음에도 불구하고
묵돌
자기가 총애하던 왕비에게서 난 둘째 아들을 태자로 만들려고 생각했어.
어떤 놈이 나을까?
그래서 묵돌을 태자에서 내쫓고 월지라는 나라에 볼모로 보내 버렸어.
넌 필요 없어!
뻥
월지국
월지는 흉노와 서로 세력을 다투고 있던 나라야.
월지
흉노
묵돌을 월지국에 보낸 것은 전쟁을 하지 않는다는 약속이었어.
내가 인질이 되다니…
그런데 묵돌이 볼모로 월지에 있을 때 두만 선우는 큰 아들의 목숨 따위는 생각하지도 않고 갑자기 월지국을 공격했어.
저놈이야 죽든 말든…
월지국
자연히 월지국은 볼모였던 묵돌을 잡아 죽이려고 했지.
볼모가 도망간다!
하지만 용맹스러웠던 묵돌은 도리어 월지국의 명마를 훔쳐 타고 도망쳐 자기 나라로 돌아왔어.
달려~
잡아라!
묵돌이 돌아오자 두만 선우는 아들의 용기를 장하게 생각해 기병 만 명을 거느리는 대장으로 삼았어.
장군기
대장이 된 묵돌은 명적을 만들어 자신의 기병에게 활쏘기 훈련을 시켰어.
명적이란 것은 화살촉 뒤에 구멍이 뚫린 작은 통 같은 장치가 달려서 화살을 쏘면 '쐐액~' 소리를 내며 날아가는 화살이야.
우리나라 고구려 사람들도 그런 화살을 썼었는데 소리만 들어도 가슴이 철렁하는 무서운 화살이지.
쐐애 애 애

내가 명적을 쏘면 너희들도 일제히 그 곳에 화살을 쏘아라. 그렇게 하지 않는 자는 모두 베어 죽이겠다.
그리고 사냥을 나가 새나 짐승을 쏘았어.
따라하지 않는 자는 무조건 목을 벴지.
한번은 묵돌이 자기가 지극정성으로 아끼는 말을 명적으로 쏘았어.
쏴~라!
팍
왜 날 쏴?
주변 사람들 중에는 깜짝 놀라 쭈뼛거리면서 활을 쏘지 않는 사람이 있었지.
대장이 아끼는 말인데 어떻게…
그러자 그는 그를 그대로 칼로 베어 죽였어.
내가 쏘면 쏘는 거다!
그 누가 됐든 간에!
얼마 후 자기가 사랑하는 첩도 명적을 쏘아 맞혔는데 부하들 중에 겁이 나서 쏘지 않는 사람이 있자 그들도 모두 목을 베어 죽였어.
이런 일이 있고 나자 병사들은 무조건 묵돌이 쏘는 곳에 따라 쏘게 됐지.
얼마 뒤 사냥을 나갔을 때 묵돌은 아버지 두만 선우가 아끼는 명마를 명적으로 쏘았어.
헉! 저건 두만 선우의 말인데…
이번에는 옆에 있던 부하들이 일제히 그 말을 쐈어.
내가 무슨 죄야?
묵돌은 그때서야 자기 부하들이 쓸 만하게 되었다고 믿고 아버지를 따라 사냥을 나갔어.
이제 됐군!

사냥을 하던 중에 갑자기 묵돌이 두만 선우를 명적으로 쐈어. 그러자 그의 부하들도 모두 따라서 두만 선우를 쏘았어.
으~악!
두만 선우가 죽자 묵돌은 계모와 아우, 자기 말을 잘 듣지 않는 신하들을 모두 죽이고
정적 제거
선우가 됐어.
이제부터는 내가 왕이다!
선우
당시 흉노의 이웃에는 동호라는 강한 민족이 있었는데,
동호
묵돌이 아버지를 죽이고 새 선우가 됐다는 소리를 듣자 사신을 보내
두만 선우가 타던 천리마를 보내라!
천리마가 어떤 건지 알아? 하루에 천 리*를 달리는 말이라는 뜻인데,
천리마

*1리 – 약 0.393㎞, 1천 리는 393㎞

달리기도 잘하지만 길들이기도 쉽지 않아서 보통 사람 눈에는 띄지 않고 얻어도 타기도 쉽지 않다는 말이지.
내려~ 난 아무나 안 태워!
파
히이이
천리마 한 마리쯤은 가지고 있어야 영웅 소리를 들을 정도였어!
으쓱
호걸
영웅
묵돌 선우가 신하들에게 물었어.
어쩌면 좋겠는가?
매애…
천리마는 우리나라의 보물입니다. 줘서는 안 됩니다.
그러나 묵돌 선우는 천리마를 보내줬지.
남과 이웃나라로 있으면서 어떻게 말 한 마리를 아끼겠는가.
얼마 후 동호는 선우의 왕비 한 사람을 보내달라고 요구했어.
왕비 줘!
이번엔 가장 어여쁜 왕비를 보내라!

묵돌 선우가 자기들을 두려워 한다고 생각한 거지.
말 안 들으면 알지? 그냥 확~!!
깨갱~
묵돌 선우가 다시 신하들에게 의견을 묻자 이번에도 신하들은
어떤가? 왕비를 보내라 하는데?
아주 무도한 놈들이군요. 그들을 치셔야 합니다.
그러나 묵돌은 이번에도 "어찌 남과 이웃나라로 지내면서 여자 하나를 아끼겠소." 하면서 연지라는 여자를 보냈어.
동호의 왕은 더욱 교만해져서 동호와 흉노 사이에 있는 천 리 정도 되는 땅을 달라고 했어.
땅을 내 놓지 않으면 재미없을 줄 알아라!
땅을 달라?
천 리면 400㎞ 정도니까 서울에서 부산 정도까지의 거리야.
부산
서울
어떤 신하들은 땅을 내 주자고 하기도 했어.
그 곳은 어차피 버려진 땅이니 줘도 좋고 안 줘도 좋습니다.
불필요한 땅… 줘도 그만…
그런데 이번에는 묵돌 선우가 몹시 화를 내며 말했어.
땅이란 나라의 근본이오. 어찌 땅을 줄 수 있단 말이오.
그리고는 땅을 주자고 한 신하들을 죽이고 나서 말에 올라 탔지.
나를 따르라. 늦는 자는 목을 베겠다.
동호는 그동안 묵돌 선우가 자기를 두려워 한다고 생각했기 때문에 아무런 방비도 하지 않고 있었어.
와아
와아
이게 뭔 소리야?
헉!
묵돌 선우가 병사들을 이끌고 쏜살같이 달려들자 당해낼 재간이 없었지.

묵돌 선우는 동호의 왕을 죽이고 그 백성들과 가축을 다 빼앗아 돌아왔어.
승전보
그 후 묵돌 선우의 힘은 더욱 강해져서 월지를 쳐서 서쪽으로 쫓아 냈을 뿐만 아니라
흉노의 땅
다시는 넘어 오지 마!
월지
남쪽과 북쪽의 여러 나라들을 공격하여 신하로 만들고
확장
진나라 때 중국에 빼앗겼던 땅도 모두 되찾아 막강한 나라가 됐지.
최강 흉노
누구도 우릴 무시 못한다!
그즈음 한나라가 초나라를 이기고 중국을 통일하였는데, 흉노가 대대적으로 한나라를 공격해 왔어. 한나라 고조는 직접 군사를 이끌고 흉노를 치러 나갔지.
이놈들은 침략을 해도 꼭 추울 때 와야 하나!
겨울이었는데 날씨는 춥고 진눈깨비가 내려 병사들 가운데에는 동상에 걸려 손가락이 떨어져 나가는 자가 속출했어.
전쟁이고 뭐고 집에 가고 싶다!
그런데 갑자기 묵돌 선우가 거짓으로 지는 척하면서 달아나기 시작했어.
후퇴!
Back
한나라 군대는 전군을 다 투입하여 묵돌 선우를 추격했지.
묵돌 선우가 도망간다! 잡아라!
고조가 선두에 서서 백등산이라는 데에 이르렀을 때야
한 놈도 살려 보내지 마라!
백등산
잡아라!
숨겨 두었던 묵돌 선우의 정예 기병 40만 명이 갑자기 나타나 한나라 군대를 포위했어.
크하하 바보 같은 놈!
이것이 바로 전략이다!
항복 하시지!

고조를 포함한 한나라 군대 32만 명은 꼼짝없이 백등산에 갇히는 신세가 되었어.
이제 어쩌나?
독안에 든 쥐
그 상태로 7일이 흘렀어. 흉노 기병은 서쪽에 있는 자들은 모두 백마를 타고, 동쪽은 푸른 말, 북쪽은 검은 말, 남쪽은 주황색 말을 타고 일사분란하게 묵돌 선우의 지휘를 받고 있었어.
이번에야 말로 한나라의 코를
납작하게 만들어 줄 때다!
고조는 그야말로 풍전등화*의 위기에 처했어.
고조는 사자에게 선물을 많이 들고 흉노의 왕비를 만나게 했어.
맘에 드십니까?
선물
뇌물을 받은 왕비가 묵돌 선우에게 말했어.
두 나라 왕이 서로 곤경에 처해서는 안 됩니다.

*풍전등화(風前燈火) – 바람 앞의 등불이란 뜻으로, 언제 꺼질지 모르는 위태로운 상태를 말함.

지금 우리가 한나라 땅을 얻는다 해도 그 곳은 우리가 살 만한 곳이 못 됩니다.
또 한나라 왕은 신의 도움을 받고 있다 하니 조심하셔야 합니다.
이에 묵돌 선우가 한쪽 포위망을 슬쩍 풀어줬지.
그래! 이 정도면··
정신 좀 차렸겠지!
뇌물이 먹혔다!
그러자 고조는 병사들과 함께 겨우 탈출할 수가 있었어.
빨리 도망쳐라!
묵돌 선우가 군사를 이끌고 돌아가자 한나라 역시 군사를 철수했어.
그 뒤 한나라는 흉노에 사신을 보내 서로 화친의 맹세를 하였어.
우리 폐하께서 보내신 친서입니다!

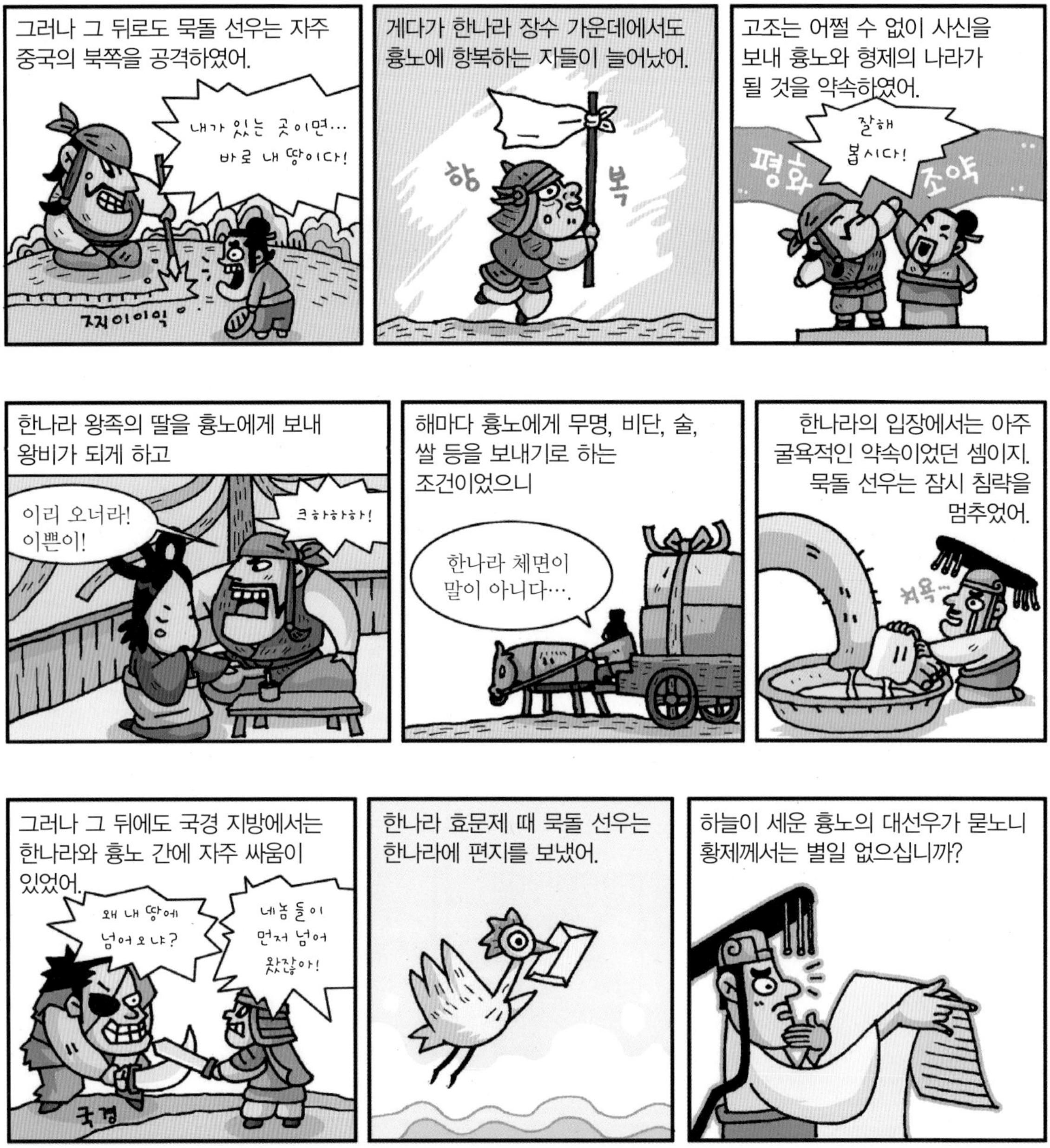
그러나 그 뒤로도 묵돌 선우는 자주 중국의 북쪽을 공격하였어.
내가 있는 곳이면… 바로 내 땅이다!
지이이익
게다가 한나라 장수 가운데에서도 흉노에 항복하는 자들이 늘어났어.
항 복
고조는 어쩔 수 없이 사신을 보내 흉노와 형제의 나라가 될 것을 약속하였어.
잘해 봅시다!
평화 조약
한나라 왕족의 딸을 흉노에게 보내 왕비가 되게 하고
이리 오너라! 이쁜이!
크하하하!
해마다 흉노에게 무명, 비단, 술, 쌀 등을 보내기로 하는 조건이었으니
한나라 체면이 말이 아니다….
한나라의 입장에서는 아주 굴욕적인 약속이었던 셈이지. 묵돌 선우는 잠시 침략을 멈추었어.
치욕…
그러나 그 뒤에도 국경 지방에서는 한나라와 흉노 간에 자주 싸움이 있었어.
왜 내 땅에 넘어오냐?
네놈들이 먼저 넘어 왔잖아!
국경
한나라 효문제 때 묵돌 선우는 한나라에 편지를 보냈어.
하늘이 세운 흉노의 대선우가 묻노니 황제께서는 별일 없으십니까?

예전에 황제께서 화친하자고 해서 기꺼이 화친을 맺었습니다. 그런데 한나라의 변방 관리가 우리를 침입하였으므로 우리 관리가 나에게 보고도 않은 채 대응하여 싸웠습니다.

두 나라 왕이 맺은 맹약을 하찮은 관리들이 깨뜨린 일을 놓고 황제가 두 차례나 편지를 보냈기에 나도 사자를 보내 편지를 전했습니다.

그런데 우리 사신도 돌아오지 않고 한나라 사신도 오지 않았습니다. 이런 식이 계속 된다면 한나라와 가까이 지낼 수 없습니다. 나는 싸움을 멈추고 애초 약속대로 화친을 유지하고 싶습니다만…

그리고 편지와 함께 낙타 1마리, 기마용 말 2마리, 마차에 맬 말 8마리도 보냈어.
선물
사자가 가져온 편지와 선물을 받은 한나라에서는 공격과 화친 중 어떤 것이 유리할지 의논했는데
어찌 하면 좋겠소!
선우는 월지를 깨뜨리고 승세를 타고 있으니 함부로 치기가 쉽지 않습니다.
또 흉노의 땅을 차지한다 하더라도 그 곳은 살 만한 곳이 못 되니 화친을 하는 쪽이 훨씬 낫습니다.
그대 말이 맞다!
효문제는 '황제가 흉노의 대선우에게 묻노니 별일 없으십니까? 앞으로 당신의 관리들에게 알려서 약속을 저버리지 않게 한다면 선우께서 보낸 편지대로 하겠습니다' 라는 편지와 함께 자신이 입던 옷 3벌과 여러 종류의 비단, 황금 허리띠 등의 많은 선물을 보냈어.
선물
얼마 뒤 묵돌 선우가 죽고 그 아들이 왕위에 올라 노상 선우가 되었어.
노상선우
한번은 한나라 사신이 흉노의 풍습을 얕잡아 보고 말했어.
흉노는 노인을 천대하는 풍습이 있소.
그 무슨 말이오!
그때 흉노에는 한나라 출신이면서 아예 흉노에 귀의해 높은 관직을 지내고 있던 중항열이라는 사람이 있었는데,
저것이 우릴 뭘로 보고…
한나라에도 자식이 군에 입대할 때 늙은 어버이가
자신의 따뜻하고 두터운 옷을 벗어주고 영양 있고 맛있는 음식을 주지 않소?
그렇소.
그렇다면야 피차 다를 게 무엇이오?

흉노는 전투를 자주 하는 민족이오.
그래서요?
늙고 약한 사람이 싸울 수는 없소.
그래서 영양 있고 맛있는 음식은 건강한 사람들에게 먹이는 것이오.
그렇게 해야 스스로를 지키고 아버지와 아들이 모두 오랫동안 살 수 있는 것이오.
이것을 두고 어찌 흉노가 노인을 천대한다고 말할 수 있단 말이오?
좋소! 그건 당신 말이 맞다고 합시다. 그럼 이건 어떤 경우요?
사자는 또 다음과 같이 흉봤어.
흉노는 아버지가 죽으면 아들이 계모를 아내로 삼고,
형제가 죽으면 그 아내를 자기 아내로 삼소.
그러자 중항열은 다음과 같이 꾸짖었어.
아버지, 아들, 형, 동생이 죽으면 그들의 아내를 자기 아내로 삼는 것은…
대가 끊기지 않도록 하기 위함이오.
그래서 흉노는 한 핏줄의 종족을 세울 수 있는 거요.
지금 중국은 아버지와 형의 아내를 아내로 삼는 일은 없다 하지만,
친척 간에 멀어져 서로 죽이기까지 하지 않소? 자기 기준으로 맘대로 말하지 마시오.

한나라에서 무제가 왕위에 오르면서
흉노와 한나라의 화친 관계는 깨어졌어.
무제
무제는 그 전의 황제들과 달리 적극적으로 흉노와 대결하는 쪽으로 전략을 바꿨거든.
흉노를 뿌리째 뽑아버리겠다!
한번 해보시지!
그는 위청과 곽거병 두 장군을 여러 번 출격시켜
漢
흉노를 정벌하게 했어. 흉노는 고비사막 북쪽으로 몰렸고,
세력에 큰 타격을 입었어.
그러나 완전히 굴복하지는 않았지.
그리고 무제가 왕위에 있는 동안 내내 한나라를 괴롭혔어.
무제
상황이 불리할 것 같으면
거기 서! 도둑놈아!!
제가 어찌 감히 한나라 천자를 바라보겠습니까?
저는 어린애 입니다.
천자는 저의 장인과 같은 항렬이십니다.
그리고 잠시 한나라에 굴복하는 듯 하였지만,
네 이놈들 왜 툭하면 우리 땅에서 도둑질이냐!
한번만 용서하소서!

곧 세력을 회복하여
원래 우리가 약속한 것은 한나라에서 공주를 보내고 우리에게 여러 가지 물건을 보낼 때 우리 역시 한나라를 침공하지 않는다는 것이었다!
흉노
하지만 저들이 약속을 먼저 어겼으니 우리는 저들의 것을 약탈할 것이다!
흉노
한나라에 대항하였지.
자연히 한나라와의 크고 작은 다툼이 끊이지 않았어,
거기 서! 이 도둑놈들!
이릉 기억하지?
무제의 명령으로 이광리 장군이 흉노를 칠 때,
흉
노
군량미 보급로를 보호하는 임무를 맡았었지.
정예 보명 5천 명을 이끌고 대단한 전과를 올렸지만
성과
결국 병력과 식량이 다 떨어진 상태에서
흉노의 정예 기병 3만 명에게 포위되어 사로잡힌 사람.
사마천이 그를 변호하다가 결국
변호
궁형을 받게 되었잖아?
그 이릉의 출전도 바로 그런 다툼 중의 하나였던 거지.

사마천은 말했어.
세상 사람들이 흉노에 대해 말하지만 그들은 그저 권세를 얻기 위해 열심히 아첨하기나 할 뿐, 흉노와 한나라를 충분히 서로 고려하지 못한다.
흉노

흉노
장수들은 중국의 힘이 센 것만 믿고 의기 충천해 있고 천자는 그들의 의견을 아무 생각 없이 따랐으므로 큰 성과를 거두지 못하였다. 만일 천자가 큰 업적을 남기려 한다면,
오직 그것이 장군과 대신을 가려서 임명하는 데 달려 있을 뿐인 것을!

제10장
편작 - 죽은 사람을 살려내다.
2
편작은 《사기열전》 제 45편 편작 · 창공 열전에 나오는 의사야.
의사
때는 춘추전국 시대.
춘추시대
지금부터 2천 몇 백 년이 훨씬 넘는 옛날,
오래된 과거
사람들은 병이 나면 그저 점이나 치고 하늘에 빌 수밖에 없던 시절이었는데
비나이다!
비나이다!
편작은 스승으로부터 전수 받은 신비의 의술로 사람들의 병을 고쳐 명의로 이름을 떨쳤지.
명
의
그의 의술이 얼마나 뛰어났던지 심지어 죽은 사람까지도 살려냈다고 해.
벌떡
내가 왜 여기 누워 있느냐?
관

다음의 이야기를 찬찬히 읽어 봐. 그러면 사실은 편작이 살려낸 사람은 죽은 사람이 아니라, 사람들이 죽은 것으로 착각한 사람이었다는 것을 알게 될 거야.
편작은 춘추전국 시대 사람으로 원래 이름은 진월인이었어.
진월인
진이 성이고 월인이 이름이지.
젊었을 때 한 여관의 관리인으로 일했는데,
신용문객잔
객잔
그 여관에 자주 와서 머물던 장상군이라는 사람이 보통 사람이 아니다 싶은 거야.
빼꼼
그래서 그를 아주 정중하게 대했지. 마찬가지로 장상군도 편작이 평범한 사람이 아니라는 것을 알았어.
어느날 장상군이 편작을 불러 조용히 말했어.
내가 예로부터 비밀스럽게 전해오는 비방을 가지고 있는데
이제 나는 늙어서 의술을 펼치기가 어려우니 그대에게 전해주겠소.
단 조건이 하나 있으니 이 사실을 아무에게도 말하면 안 되오.
비방이란 의사들이 자기만 알고 남에게는 알려주지 않는 특별한 처방술을 말해.
아들낳는 비방
이걸 어디다 숨기지?
진월인은 얼른 일어나 몸가짐을 단정히 하고 대답했어.
삼가 그렇게 하겠습니다.
꾸벅
장상군이 품안에서 어떤 약을 꺼내 진월인에게 주면서 말했어.
이 약을 땅에 떨어지지 않은 물에 타서 마시오.
30일이 지나고 나면 모든 사물을 꿰뚫어 볼 수 있을 것이오.
그리고는 자기가 가지고 있던 비밀스런 책들을 모두 꺼내 편작에게 주고 홀연히 사라졌어.

땅에 떨어지지 않은 물이
어떤 물일까?
글쎄, 정확히는 모르겠지만 아마
풀잎에 맺힌 이슬 같은 것 아닐까?
어쨌든 진월인은 장상군이
시키는 대로 땅에 떨어지지 않은
물을 받아서 약을 타서 먹었다고 해.
벌컥
벌컥
그런데 정말 30일이 지나자 담장 너머
저 편에 있는 사람들도 모두 보이기
시작했어.
다 보인다! .. 다 보여..
실룩
실룩
그러니 환자들의 몸 속에 있는
온갖 질병의 뿌리가 훤히
보이지 않겠어?
보인다!
보여!
어딜 보는거야!
남들처럼 진맥을 할 필요가 없었지.
진맥이 뭐냐고?
왜, 한의원에 가면 의사 선생님이
손가락을 우리 팔목에 대고
흠~ 하면서 맥을 짚으시잖아.
우리 몸의 무엇이 문제인지
알아보려는 거지.
축하합니다!
임신입니다!
난…
남잔데…
진월인은 의사가 되어 이 나라
저 나라에 머물렀는데…
조나라에 있을 때부터 사람들이 그를
편작이라고 부르기 시작했대.
편작 님!
한 번은 진(晋)나라의 실력자였던
조간자가 깊은 병이 들어 사람을
알아보지 못할 정도가 되었어.
으 으 으…
편작의 소문을 들어 알고 있던
진나라의 관리들이 편작을 불렀어.
편작이 방에 들어가 조간자의
병세를 보고 나오자
한 사람이 근심스럽게 물었어.
어떻습니까?

그런데 편작은 별로 걱정스러울 것 없다는 표정이었어.
혈맥이 막혀 있습니다만 걱정할 필요 없습니다. 옛날 진나라 목공께서도 꼭 같은 병을 앓으셨지요.
그때 목공은 일주일 동안 죽은 듯이 앓다가 깨어난 뒤에 "천제*가 계신 곳에 갔었는데 정말 즐거웠소.
내가 그곳에서 오랫동안 머물렀던 것은 배울 것이 있었기 때문이오."라고 말했었지요.
조간자께서도 반드시 앞으로 사흘 안에 깨어날 것입니다.
그리고는 아무런 약 처방을 하지 않고 물러갔지.
bye~
bye~
사람들이 웅성거린 것은 당연하겠지?
편작이 무슨 근거로 조간자께서
사흘 안으로 깨어난다고 얘기하는 거지?
그러게 말일세.
심지어 어떤 사람은
저 사람 살릴 자신이 없으니까 괜히 딴 소리하는 거 아냐?
그렇지만 달리 어떻게 손을 쓸 수도 없었으니 그냥 기다리는 수밖에 없었지.
그러데 사흘째 되는 날 정말로 조간자가 깨어났어.
내가 얼마나 누워 있었나?
나는 천제가 계신 곳에 갔었는데 정말 즐거웠소.
여러 신들과 함께 온갖 악기를 연주하고 춤을 추며 놀았지요.

*천제 – 하늘을 다스리는 임금.

그런데 천제께서 내게 진나라는 앞으로 7대 뒤에 망할 것이라고 합디다.
!!
사람들은 일단 조간자가 깨어난 것에 기뻐하면서 천제께서 했다는 말에 대해서는
악몽을 꾼 것 뿐입니다. 우리 진나라가 그럴 리가 있겠습니까?
그리고 편작이 와서 앓아 누워 있던 조간자를 살펴 보았고, 조간자가 곧 깨어날 것이라고 했다는 말을 전했지.
조간자는 편작에게 논밭을 4만 무*나 주면서 감사했어. 무는 논밭의 넓이를 재는 단위야.
그뒤 편작은 괵나라로 갔는데,
괵영역
괵나라의 수도에서는 태자의 병을 쫓으려고 큰 제사를 지내고 있었어.
유세차 -

*무(畝) – 중국의 토지 면적 단위. 고대 중국에서는 333.3㎡에서 1,250㎡까지 지역과 용도에 따라 달랐다.

편작은 궁궐로 가서, 태자에게 무슨 일이 있느냐고 물었어.
무슨 일입니까?
마침 태자의 선생인 중서자가 그 곳에 있다가
태자의 병은 피의 순환이 순조롭지 못하여 일어났습니다.
좋은 기가 나쁜 기를 누르지 못하여 급기야 양기가 느려지고 음기가 급해졌지요.
그런데 태자께서는 이미 죽었습니다.
!!
그때가 언제입니까?
첫 닭이 울 때쯤 입니다.
입관을 했습니까?
아직 안 했습니다.

그때서야 편작은 자기의 신분을 밝히면서 말했어.
저는 제나라 사람으로
평소 괵나라 왕을 모실 기회가 없었습니다만,
제가 가만히 듣고 보니 태자를 살려낼 수 있을 것 같습니다.
선생은 함부로 말하지 마십시오. 어떻게 죽은 태자를 살려낼 수 있다고 합니까?
옛날 유부라는 명의는 피부를 갈라 막힌 맥을 통하게 하고 끊긴 힘줄을 잇는 기술이 있었다고 합니다.
또 장과 위를 깨끗이 씻어서 신체를 새로 바꿔놓았다고 합니다.
선생이 유부처럼 그런 기술을 가지고 있다면 몰라도 그렇지 않다면 어찌 선생이 태자를 살릴 수 있겠습니까?
저는 환자의 맥을 짚거나 안색을 살피거나 하지 않고도 환자의 병이 어디 있는지 알 수 있습니다.
당신이 정히 제 말을 믿지 못 하겠다면 안으로 들어가 태자를 한번 살펴보십시오.
태자의 귀에서는 소리가 나고 코는 벌름거릴 것이며 사타구니 안쪽에는 아직 따뜻한 기운이 남아 있을 것입니다.
너무도 자신 있는 편작의 말에 중서자는 깜짝 놀랐어. 그 길로 궁궐에 들어가 곧바로 임금님께 아뢰었지.
편작이란 사람이 와서 이런 저런…
뭐야?
임금은 몹시 놀라 대궐 중간문 앞에까지 뛰어 나와 편작을 만났어.
임금이 이렇게 문 앞까지 뛰어 나온다는 거는 웬만해선 상상할 수 없는 일이지.

선생의 명성을 오래 전부터 들었지만, 외진 나라에 살다보니 이제야 이렇게 만나게 되었군요.
망극 하옵니다! 폐하!
왕은 목이 메어 말을 제대로 끝내지 못했어.
마침 선생이 이 작은 나라에까지 오셨으니 내 아들이 살아날 수 있겠군요.
태자의 병은 시궐이라고 하는 것입니다.
피가 위로 올라와 정신이 혼미해져서 반쯤 죽은 상태에 빠지는 것을 말하지요.
그러나 태자는 아직 죽지 않았습니다.
그게 정말이오?
그러고는 제자를 시켜 숫돌에다 침을 갈게 하고, 그 침으로 손발과 머리 정수리, 가슴, 배꼽 부근, 코 밑, 귀 등등을 골고루 찔렀지.
얼마 안 있어 태자가 깊은 잠에서 깨어나듯 눈을 떴어.
이에 편작이 제자를 시켜 달이도록 한 고약을 양쪽 겨드랑이 아래에 번갈아 붙였더니
태자는 자리에 일어나 앉게 됐어. 임금이 감격한 것은 당연했지.
아들아!
아버님!
편작은 이 날부터 궁궐에 머물며 20일 동안 음과 양의 기운을 조절해 가면서 탕약을 달여 태자에게 먹였어.
그랬더니 태자의 몸이 완전히 원래대로 회복됐어.

태자가 살아난 것을 본 사람들이 모두 편작은 죽은 사람도 살려낸다고 칭송했지.
죽은 사람도 살려내는 편작이야!
최고야!
그러나 편작은 겸손하게 말했어.
나라고 해서 죽은 사람을 살려내지는 못합니다. 다만 스스로 살 수 있는 사람을 일어나도록 도운 것 뿐이지요.
편작이 제나라로 가자, 편작의 명성을 익히 들어 알고 있던 제나라의 왕 환후는 그를 귀한 손님으로 맞아들였어.
카퍼레이드
편작은 궁궐에서 왕을 한참 쳐다보고 난 뒤에
!!
뭘 그리 보누?
왕께서는 지금 피부에 병이 있습니다. 지금 치료하지 않으면 더욱 깊어질 것입니다.
왕은 편작의 말을 가볍게 넘겼지.
허허, 그렇게 보입니까?
!!
그렇지만 과인에게는 아무런 병이 없소.
편작이 나간 후 왕은 편작을 비난했어.
의사들은 돈을 벌려고 아무 병도 없는 사람에게 병이 있다고 한단 말이야.
닷새 뒤에 다시 편작이 왕을 만났어.
왕께서는 지금 혈맥에 병이 있습니다.
엥?
치료하지 않으면 병이 깊어집니다.
왕이 언짢게 대답했어.
나는 아무 병이 없소. 걱정 마시오.
또 닷새 뒤에 편작이 환후를 만났는데 이번에는…
왕께서는 장과 위에 병이 있습니다. 치료하지 않으면 더 깊은 곳까지 번질 것입니다.

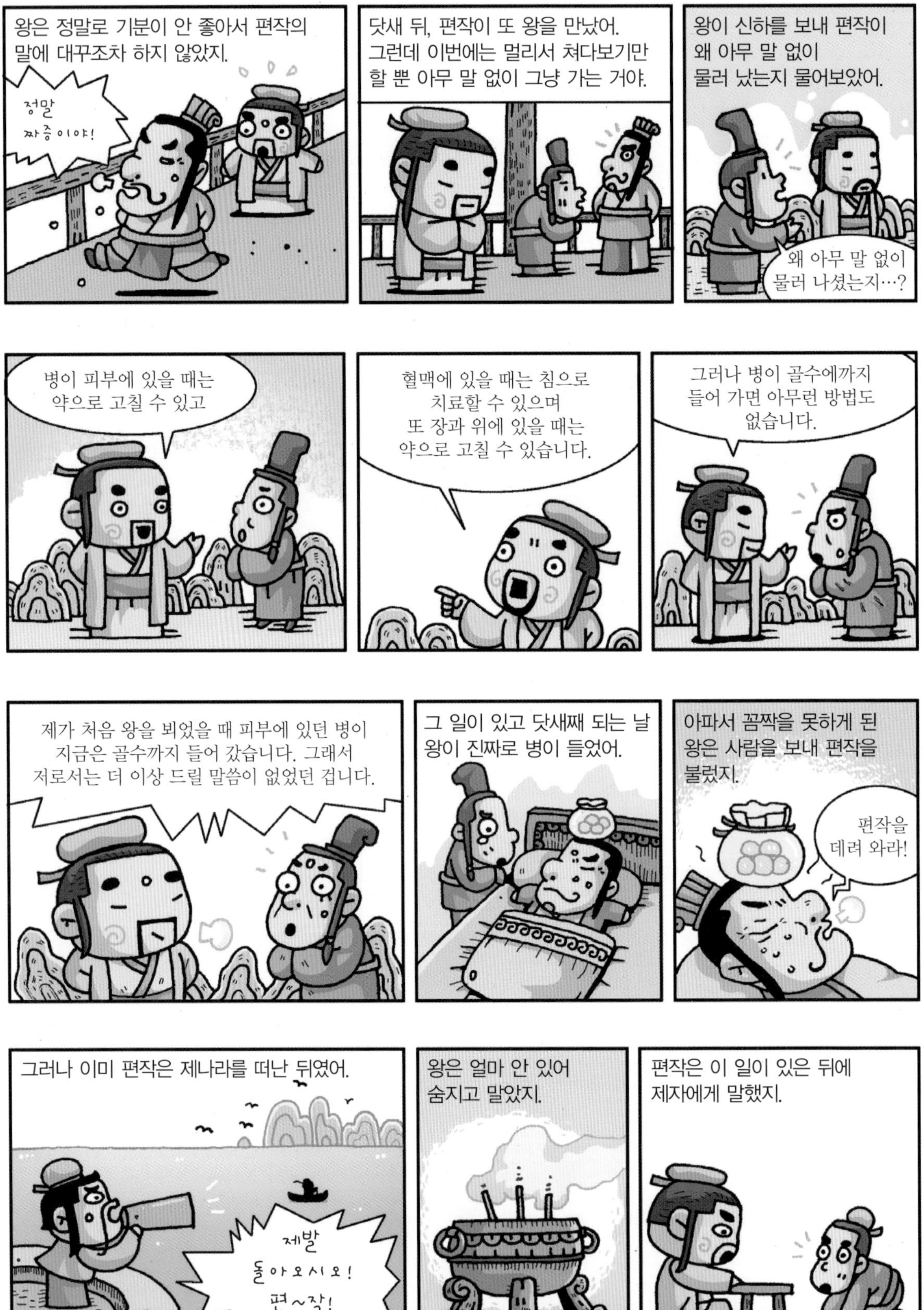
왕은 정말로 기분이 안 좋아서 편작의 말에 대꾸조차 하지 않았지.
정말 짜증이야!
닷새 뒤, 편작이 또 왕을 만났어. 그런데 이번에는 멀리서 쳐다보기만 할 뿐 아무 말 없이 그냥 가는 거야.
왕이 신하를 보내 편작이 왜 아무 말 없이 물러 났는지 물어보았어.
왜 아무 말 없이 물러 나셨는지…?
병이 피부에 있을 때는 약으로 고칠 수 있고
혈맥에 있을 때는 침으로 치료할 수 있으며 또 장과 위에 있을 때는 약으로 고칠 수 있습니다.
그러나 병이 골수에까지 들어 가면 아무런 방법도 없습니다.
제가 처음 왕을 뵈었을 때 피부에 있던 병이 지금은 골수까지 들어 갔습니다. 그래서 저로서는 더 이상 드릴 말씀이 없었던 겁니다.
그 일이 있고 닷새째 되는 날 왕이 진짜로 병이 들었어.
아파서 꼼짝을 못하게 된 왕은 사람을 보내 편작을 불렀지.
편작을 데려 와라!
그러나 이미 편작은 제나라를 떠난 뒤였어.
제발 돌아오시오! 편~작!
왕은 얼마 안 있어 숨지고 말았지.
편작은 이 일이 있은 뒤에 제자에게 말했지.

훌륭한 의사에게 일찍 치료를 받으면 대부분의 병은 나을 수 있다.
그러나 세상에는 고칠 수 없는 병이 여섯 가지가 있다.
교만해서 병이 난 이유를 따지지 않는 것이 첫 번째 불치병이고,
몸을 중요하지 않게 여기고 재물이 아까워서 병을 치료하지 않는 것이 두 번째 불치병이다.
돈 보다 건강이 우선이지!
안 돼! 내 돈!
입고 먹는 것을 잘 가려서 하지 않는 것이 세 번째 불치병이고,
꺼억
소주
음과 양이 함께 있어 오장의 기운이 불안정한 것이 네 번째 불치병이다.
또 몸이 극도로 허약해서 약을 먹을 수 없는 것이 다섯 번째 불치병이고,
제발 좀 삼켜 봐!
무당의 말만 믿고 의사를 믿지 않는 것이 여섯 번째 불치병이다.
무서버~
작두
이 중 어느 하나만 있어도 치료하기가 정말 어렵다.
그 뒤 편작의 이름은 온 세상에 알려졌어.
칭
송

그는 요즘 말로 치면 전문의 자격증을 여러 개 가진 사람이었다고 할 수 있어.
팟
자
격
증
팟
팟
각 고을의 풍속에 따라 치료 분야를 바꾸었거든.
여성우대
한단이라는 곳을 지날 때는 그 곳 사람들이 부인들을 귀하게 여긴다는 말을 듣고 산부인과 병을 고쳐줬고,
낙양을 지날 때는 그 곳 사람들이 노인을 공경한다는 말을 듣고 중풍 등의 노인병을 고쳐주었지.
노인우대
또 함양에서는 그 곳 사람들이 어린아이를 중하게 여긴다는 말을 듣고 소아과 의사 노릇을 했어.
아…
편작의 명성이 높아지자
명성
그를 질투하는 사람도 생겼어.
인기
인기
인기
인기
뚝..
그중의 한 사람이 이혜라는 사람이었는데,
이혜
진나라에서 태의령이라는 높은 벼슬자리에 있던 사람이었어.
태의령은 의사가 앉을 수 있는 가장 높은 벼슬자리로서 요즘 말로 하면 대통령 주치의 겸 보건복지부 장관에 해당되는 관직이야.
보건복지부 장관
이혜는 자신의 의술이 편작보다 훨씬 떨어진다는 사실을 알고, 자기 자리가 위태로워질 것을 두려워했던가 봐.
비켜 서시오~
뻥
결국 돈을 주고 자객을 사서 편작을 찔러 죽이게 되지.

그러나 편작의 의술은 양경이라는 제자에게,

다시 양경의 의술은 순우의라는 제자에게 전해졌어.

그래서 한나라 때 의술을 말하는 사람치고 편작의 이론과 방법을 따르지 않는 사람은 하나도 없었다고 해.
편작의술

사마천은 말했어.
여자는 아름답건 못생겼건 간에 궁궐 안에 있기만 하면 질투를 받고 선비는 어질건 그렇지 못하건 간에 조정에만 들어가면 의심을 받는다.
그렇듯 편작은 뛰어난 의술 때문에 화를 입었다. 노자는 "아름답고 좋은 그릇은 좋지 못한 조짐이 있는 그릇이다."라고 하였는데, 이것은 편작 같은 사람을 두고 하는 말이 아니겠는가.

제11장
질도와 장탕—엄격하게 법을 집행하다.
法

어느 나라, 어느 시대나 법과 규칙이 있지.
法

법을 어겼을 때 법대로 엄격하게 다스리는 관리가 있는가 하면
차선 위반입니다!

그 사람이 법을 어길 수밖에 없는 사정을 참작해서 인자하게 다스리는 관리도 있지.
아버지 제사라 한 잔.
하하! 그럴 수 있죠!

이 중에서 엄격하게만 법을 집행하는 사람을 가리켜 혹리라고 해.
법이란 한치의 오차도 있어서는 안 돼!
법

질도와 장탕은 《사기열전》 제62편 혹리 열전에 나오는 12명의 혹리들 중에 대표적인 사람들이야.
사기 열전 62편

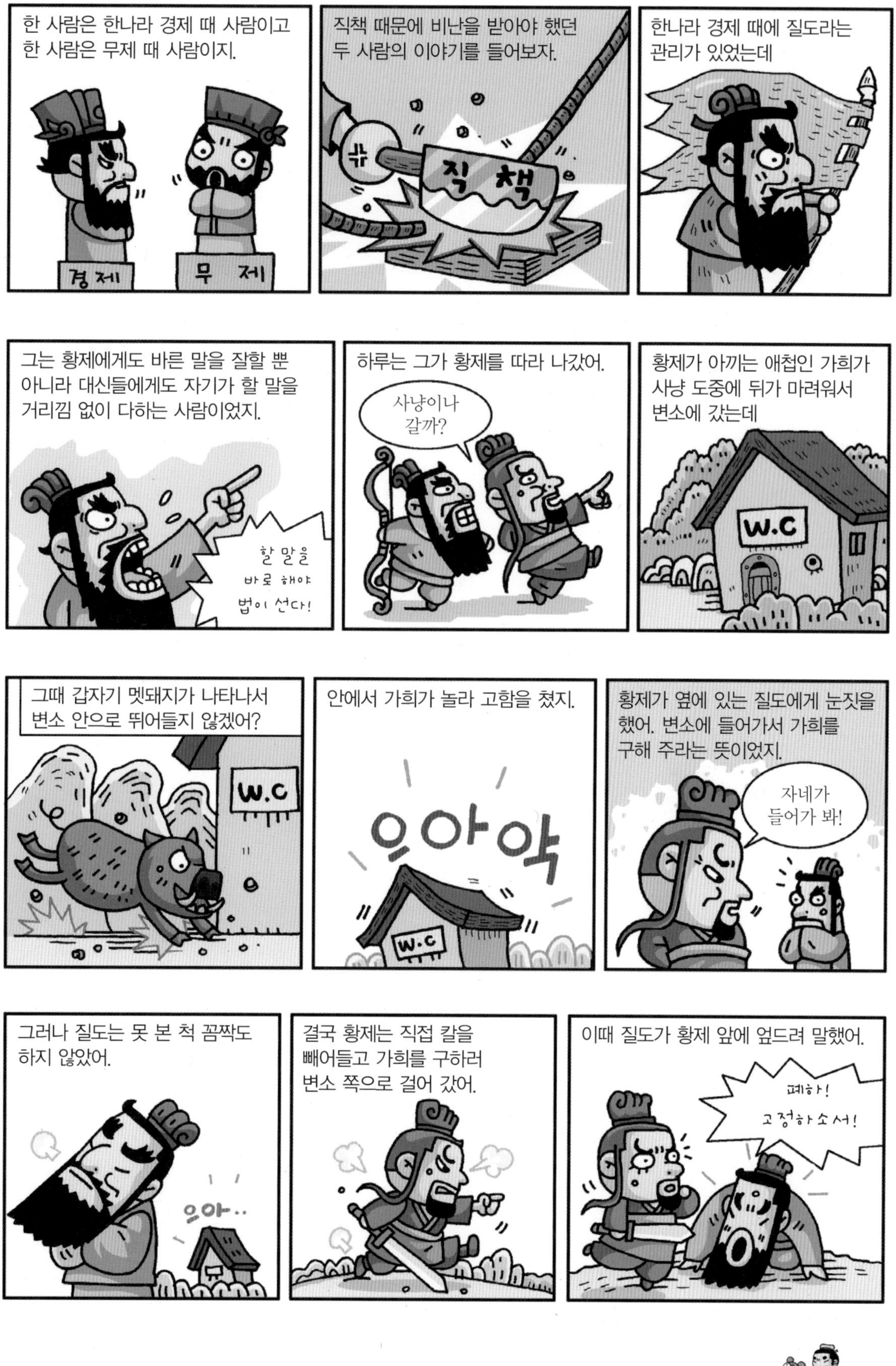
한 사람은 한나라 경제 때 사람이고
한 사람은 무제 때 사람이지.
경제
무제
직책 때문에 비난을 받아야 했던
두 사람의 이야기를 들어보자.
직책
한나라 경제 때에 질도라는
관리가 있었는데
그는 황제에게도 바른 말을 잘할 뿐
아니라 대신들에게도 자기가 할 말을
거리낌 없이 다하는 사람이었지.
할 말을 바로 해야 법이 선다!
하루는 그가 황제를 따라 나갔어.
사냥이나 갈까?
황제가 아끼는 애첩인 가희가
사냥 도중에 뒤가 마려워서
변소에 갔는데
W.C
그때 갑자기 멧돼지가 나타나서
변소 안으로 뛰어들지 않겠어?
W.C
안에서 가희가 놀라 고함을 쳤지.
으아악
W.C
황제가 옆에 있는 질도에게 눈짓을
했어. 변소에 들어가서 가희를
구해 주라는 뜻이었지.
자네가 들어가 봐!
그러나 질도는 못 본 척 꼼짝도
하지 않았어.
으아…
결국 황제는 직접 칼을
빼어들고 가희를 구하러
변소 쪽으로 걸어 갔어.
이때 질도가 황제 앞에 엎드려 말했어.
폐하! 고정하소서!

희 한 명을 잃으면 다른 희를 구하면 됩니다. 천하에 어찌 가희 같은 여자가 없겠습니까?
그러나 만일 폐하에게 무슨 일이 생긴다면 종묘는 어떡하며 태후는 또 어찌해야 합니까?
종묘란 왕실의 제사를 지내는 사당이야.
종묘
질도의 말을 들은 황제는 결국 발길을 돌릴 수밖에 없었지.
휴우~
그때 마침 멧돼지도 변소에서 나와 숲으로 달아났어.
이 소식을 들은 태후는 질도에게 감사하는 마음으로 황금 백 근을 내려주었고, 황제도 질도를 더욱 아끼게 되었어.
100근
제남군에 간씨 성을 가진 호족이 있었어.
간씨
제남군
호족이란 지방에서 큰 힘을 가지고 지방 사람들 위에 군림하는 가문을 말해.
간씨네는 약 300가구쯤 됐는데 이들이 워낙 자기 가문의 힘을 믿고 멋대로 했기 때문에 제남군의 관리들이 아무도 이들을 다스리지 못했어.
문중
누가 감히 우리 문중을 건드려!
이에 황제는 질도를 제남군의 태수로 임명했지. 태수는 지금의 군수라고 보면 돼.
태수
태수로 부임한 질도는 일단 동네의 사정을 파악한 뒤
좋은 생각이 떠올랐어!
간씨
간씨 일가 중에서 가장 포악한 한 가족을 잡아 오도록 했어.
너 내가 누군지 알고 잡아 가는 거야?

그리고 그 가족 전체를 모두 죽여버렸지.
무섭다~.
나머지 간씨들이 벌벌 떨게 된 것은 말할 필요가 없겠지?
덜덜덜
그가 부임한 지 1년쯤 지나자 제남군에서는 길에 물건이 떨어져도 아무도 주워가는 사람이 없을 정도로 법이 잘 지켜졌어.
돈보다 무서운 게 질도 태수야!
퍽
그것을 본 주변 군의 태수들은 질도를 재상이나 장군을 대하듯이 공경하게 되었지.
태수님 존경합니다!
질도는 엄하기도 했지만, 공정하고 청렴하기도 했어.
뇌물
옛날에 알던 친구나 가족들이 편지를 보내오면 아예 열어 보지를 않았어.
휴지통
왜 편지를 읽지도 않고…
그런 편지는 대개 일자리를 얻게 해달라는 청탁 편지야! 볼 것도 없어!
또 남이 보내 온 선물도 일체 받지 않았고
NO
남이 청탁하는 것을 들어주지 않았지. 심지어 자기 아내가 어떤 일을 부탁해도 절대로 들어주지 않았지.
내 동생 일자리 하나 줘요~
그는 스스로 맹세했어!
절개
벼슬살이를 하는 이상 맡은 일에 책임을 다하고 절개를 지켜야 한다.
나는 관직을 살다 죽을 뿐 끝내 처자식조차 돌보지 않겠다.
신념
질도가 중위라는 벼슬에 있을 때였어.
중위

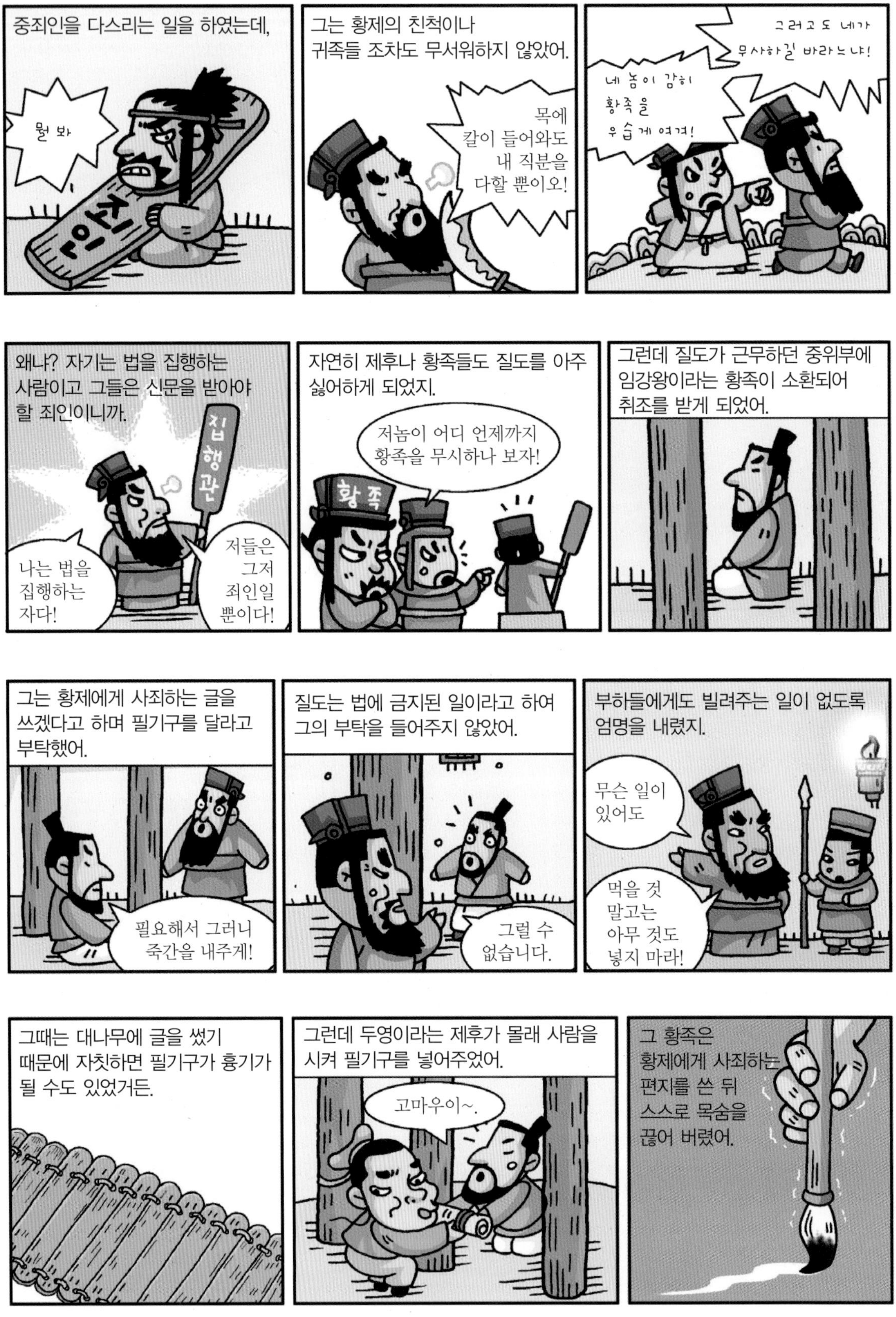
중죄인을 다스리는 일을 하였는데,
뭘 봐
죄인
그는 황제의 친척이나
귀족들 조차도 무서워하지 않았어.
목에
칼이 들어와도
내 직분을
다할 뿐이오!
네 놈이 감히
황족을
우습게 여겨!
그러고도 네가
무사하길 바라느냐!
왜냐? 자기는 법을 집행하는
사람이고 그들은 신문을 받아야
할 죄인이니까.
집행관
나는 법을
집행하는
자다!
저들은
그저
죄인일
뿐이다!
자연히 제후나 황족들도 질도를 아주
싫어하게 되었지.
저놈이 어디 언제까지
황족을 무시하나 보자!
황족
그런데 질도가 근무하던 중위부에
임강왕이라는 황족이 소환되어
취조를 받게 되었어.
그는 황제에게 사죄하는 글을
쓰겠다고 하며 필기구를 달라고
부탁했어.
필요해서 그러니
죽간을 내주게!
질도는 법에 금지된 일이라고 하여
그의 부탁을 들어주지 않았어.
그럴 수
없습니다.
부하들에게도 빌려주는 일이 없도록
엄명을 내렸지.
무슨 일이
있어도
먹을 것
말고는
아무 것도
넣지 마라!
그때는 대나무에 글을 썼기
때문에 자칫하면 필기구가 흉기가
될 수도 있었거든.
그런데 두영이라는 제후가 몰래 사람을
시켜 필기구를 넣어주었어.
고마우이~.
그 황족은
황제에게 사죄하는
편지를 쓴 뒤
스스로 목숨을
끊어 버렸어.

임강왕이 취조를 당하다 죽었다는 소식을 들은 태후는 엄청나게 화를 냈어.
질도 그 놈이 황족을 데려다 취조했단 말이냐!
그녀는 황제에게 달려가 질도를 처벌하라고 호통쳤어.
당장 죽이시오!
태후의 명령에 어쩔 수 없게 된 황제는 결국 질도를 파면하여 고향으로 돌려보냈어.
난 모든 걸 법에 따랐을 뿐이다!
그러나 황제는 질도가 잘못한 것이 없다고 생각했어. 그래서 고향으로 내려 가는 질도에게 사자를 보냈지.
멈추시오!
사자의 손에는 질도를 안문군 태수로 임명한다는 임명장과 함께, 조정에 들어 하직 인사를 하지 말고 바로 임지로 가라는 것과
임지에 가서는 일일이 조정에 의견을 물을 것 없이 알아서 일을 처리하라는 당부도 들어 있었어.
황제가 얼마나 그를 신뢰하고 있는지를 잘 보여주는 일화였지.
믿음
안문군은 흉노가 자주 침략하던 곳인데
누가 온다고?
흉노
안문군
흉노는 질도라는 사람이 아주 강직한 사람이란 것을 익히 들어 알고 있었으므로 그를 아주 두려워했어.
이제 도둑질이고 뭐고 다 글렀어!
흉노의 대장들은 질도를 무서워하는 부하들에게 용기를 주기 위해
생각만 해도 공포다!
질도를 닮은 인형을 목표물로 하여 활쏘기 연습을 시켰지만
덜
덜
부하들이 너무도 떨려서 목표물을 맞추지 못하는 것을 보자 질도에게 대항하는 것을 포기했다고 해.
후
덜
덜

그후 그들은 질도가 죽을 때까지 다시는 안문군에 나타나지 않았어.
이쪽으론 오줌도 싸지 말자!
안문군
그러나 질도에게 앙심을 품은 태후는 계속 황제에게 질도를 처벌하라고 요구했어.
으~ 잔소리!
질도는 충신입니다. 그를 용서해 줘야 합니다.
그럼, 임강왕은 충신이 아니었단 말입니까?
결국 질도는 목이 베어지고 말았어.
장탕은 무제 때에 활약했던 혹리야. 그의 어렸을 적 이야기가 재미있어.
혹리
장탕
장탕의 아버지는 두현이라는 고을에서 벼슬을 살았는데
두현
어느 날 외출을 하면서 어린 장탕에게 집을 잘 지키라고 당부했지.
집 잘 보거라!
그런데 돌아와서 보니까 쥐가 고기를 훔쳐가 버린 거야.
저기 있는 고기가 어디 갔는냐?
저… 그게…
화가 난 아버지는 아들에게 매질을 했지.
매를 맞은 장탕은 땀을 뻘뻘 흘리면서 쥐구멍을 팠어.
이것들 잡기만 해봐!
한참만에 쥐구멍에서 고기를 훔쳐간 쥐와 먹다 남은 고깃덩어리를 찾았지.
찌익~
찍
그런 다음 그가 쥐를 재판했어.
네 죄를 네가 알렸다!
찍
찍

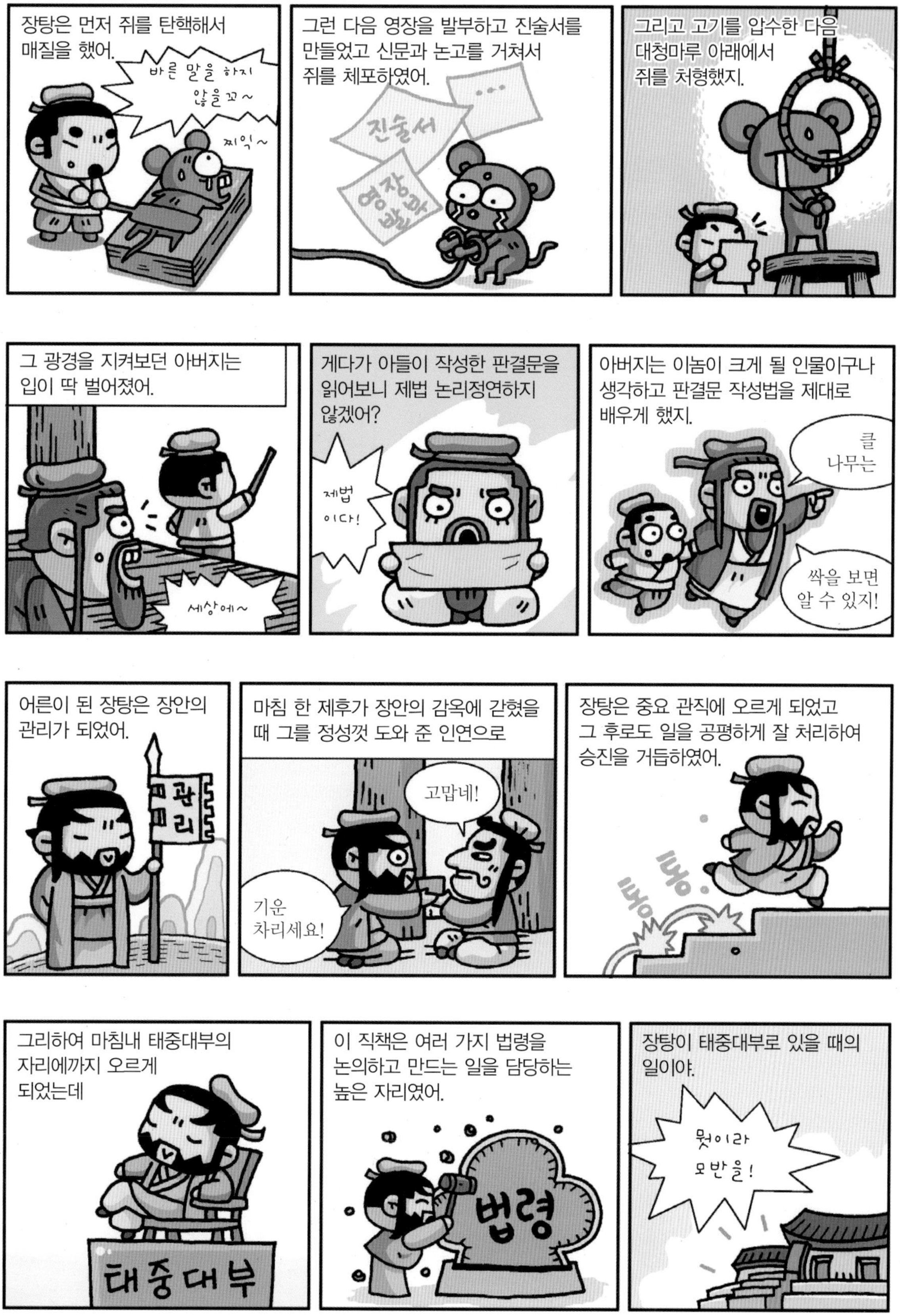
장탕은 먼저 쥐를 탄핵해서 매질을 했어.
바른 말을 하지 않을꼬~
찌익~
그런 다음 영장을 발부하고 진술서를 만들었고 신문과 논고를 거쳐서 쥐를 체포하였어.
진술서
영장 발부
...
그리고 고기를 압수한 다음 대청마루 아래에서 쥐를 처형했지.
그 광경을 지켜보던 아버지는 입이 딱 벌어졌어.
세상에~
게다가 아들이 작성한 판결문을 읽어보니 제법 논리정연하지 않겠어?
제법이다!
아버지는 이놈이 크게 될 인물이구나 생각하고 판결문 작성법을 제대로 배우게 했지.
클 나무는
싹을 보면 알 수 있지!
어른이 된 장탕은 장안의 관리가 되었어.
관리
마침 한 제후가 장안의 감옥에 갇혔을 때 그를 정성껏 도와 준 인연으로
고맙네!
기운 차리세요!
장탕은 중요 관직에 오르게 되었고 그 후로도 일을 공평하게 잘 처리하여 승진을 거듭하였어.
통 통
그리하여 마침내 태중대부의 자리에까지 오르게 되었는데
태중대부
이 직책은 여러 가지 법령을 논의하고 만드는 일을 담당하는 높은 자리였어.
법령
장탕이 태중대부로 있을 때의 일이야.
뭣이라 모반을!

회남왕과 형산왕, 강도왕 같은
황제의 친척들이 모반을 했어.
모 반
그는 이 사건을 면밀히 검토하여
철저하게 처리하려 했지.
그런데 황제가 연루자들 가운데
엄조와 오피라는 두 사람을
용서하자는 거야.
장탕이 강력히 반대했지.
오피는 모반을 꾀한
장본인입니다.
또한 엄조는 폐하의 신임을 받으며
궁중을 자유롭게 드나들던 신하였음에도
불구하고
제후들과 몰래
내통하여 폐하를
속였습니다.
이런 자들을
벌주지 않는다면
앞으로는
어떤 죄인도
벌줄 수 없을
것입니다.
자네 말이
맞군!
장탕의 말을 들은 무제는 그가 옳다고 생각했어.
그 후로도 황제는 더욱 그를 총애하였어.
내 말만
잘 들으면
너에게
모든 걸 주마!
깨갱
장탕이 조회에서 어떤 일을
보고하거나 나라의 살림살이에
대해 말할 때면
황제는 식사 시간도 잊고 그의 말에
귀를 기울였어.
국이
식습니다!
폐하!
재상들은 그저 자리만 차지한
이름뿐인 존재였고

나라의 중요한 일은 모두 장탕의 뜻에 따라 처리되었지.
그러나 무제 때에 새로 실시한 여러 가지 정책들이 반드시 효과적인 것은 아니었어.
부작용
여전히 백성들의 살림살이는 어려웠고 관리들의 횡포도 계속 되었어.
내놔!
이것만은 안 됩니다!
백성들은 살기 힘들다고 자주 소요를 일으켰지.
먹을 걸 달라!
정부
소요
장탕이 법에 따라 그들을 엄하게 다스렸지만 별로 효과가 없었어.
법
오히려 장탕은 제후, 관리들로부터 일반 백성에 이르기까지 모든 사람이 비난하는 대상이 되었지.
비난의 대상
난 법대로 했을 뿐인데…
전부터 장탕을 미워하던 이문이란 사람이 있었어.
장탕의 모든 걸 발가 벗기겠어!
그는 장탕에게 불리한 갖가지 문서들을 들춰내어 장탕의 심기를 불편하게 했어.
반드시 어딘가에 있을 거야!
장탕의 불편한 마음을 잘 알고 있던 부하가 사람을 시켜 이문을 고발하였어.
조금만 기다려라! 내 반드시 증거를 찾을 테니!
장탕이 직접 그 일의 판결을 맡아 이문을 사형에 처했어.
이건 불공정한 판결이오!
물론 장탕은 이 일을 꾸민 것이 자기의 부하라는 것을 알고 있었던 것 같아.
언제 술이나 한 잔?
그러나 짐짓 모른 체하며 자기를 불편하게 하는 사람을 죽여 버린 거지.
떡 본 김에 제사 지내는 거지 뭐!

이런 일들로 인해 장탕의 적은 점점 늘어났어.
적
그러던 중, 무제의 선조인 문제의 무덤이 도굴되고 귀금속이 사라지는 일이 발생했어.
누가 감히… 겁도 없이!
재상 청책은 장탕과 함께 궁궐에 들어가서 천자께 사죄하기로 했어.
자네와 내가 가면 폐하께서 화가 풀릴 거네.
싫습니다!
그건 항상 무덤을 순시하는 재상이 사죄할 일이지 제가 사죄할 일은 아닙니다!
뭐라!
재상의 사죄를 받은 무제는 이 안건을 장탕에게 처리하도록 했어.
위임
누군가는 책임져야 되지 않겠소?
장탕이 재상에게 죄를 물으려 하자,
재상!
당신이 책임지시오!
재상의 부하 세 사람이 일을 꾸미고 나섰어.
우리 이번 기회에 아예 장탕을 제거합시다!
속닥 속닥
그들은 평소에 장탕을 미워하고 있었거든.
장탕이 지금 재상을 탄핵하려고 하는 것은,
자신이 대신 재상이 되겠다는 속셈 때문입니다.
우리가 장탕의 부정을 알고 있으니 그것을 확인해 보십시오!
재상이 관리를 시켜서 전신이라는 사람을 잡아들였어.
날 왜 잡아가는 거요?
나도 몰라!

그를 심문하자 실토를 받아낼 수 있었어.
장탕이 어떤 일을 시행할 때마다
그 내용을 저에게 먼저 얘기해 줬습니다.
그러면 저는 그 물건을 미리 사서 큰 이익을 얻었습니다.
물론 나중에 그것을 장탕과 나누었지요.
이익의 반입니다!
이런 내용을 전해들은 무제가 장탕에게 슬쩍 떠보았어.
고얀지고…
짐이 어떤 일을 하려 할 때마다 장사꾼들이 먼저 알고
그 물건을 사서 모으는 것을 보면 아무래도 짐의 계획을 누설시키는 자가 있는 것 같다.
장탕이 놀라는 척하며 말했어.
분명히 그런 것 같습니다.
황제는 장탕이 자신을 속인다고 생각하고 관리를 시켜 장탕의 죄상을 조목조목 문책하도록 했어.
폐하!! 그 무슨…
네 이놈 네가 날 능멸하는구나!
내 이미 모든 것을 알고 있거늘…
그렇지만 장탕은 끝까지 그런 사실이 없다고 버텼지.
그때 젊었을 때 친구처럼 지냈던 조우라는 사람이 와서 장탕을 꾸짖었어.
왜 그렇게 답답하게 구시오?
그대가 내린 판결들 때문에 온 가족이 몰살된 자가 도대체 몇 명이나 되는지 아시오?

지금 그 사람들이 다 당신의 죄를 폭로하고 있는데 부인한다고 될 일이오?
황제께서는 그대를 옥에 가두기가 민망해서 지금 그대가 스스로 결단을 내리기를 바라고 있소.
그런데 어찌 그리 일일이 반박한단 말이오.
푸욱
이 말을 들은 장탕은 황제께 사죄하는 글을 남기고
폐하! 이 죄인은…
목숨을 끊었어.
세상이여 안녕~.
장탕이 죽은 뒤에 그의 집 재산이 500금 밖에 안 된다는 사실이 드러났어.
털어도 먼지 밖에 없다!
그나마 그 돈도 모두 봉급이나 왕이 내린 하사금이었지.
장탕의 어머니는
장탕은 황제의 대신으로 있다가 추악한 음모에 휘말려 죽었는데 어찌 후하게 장사를 치를 수 있겠는가?
그러면서 소달구지에 얇은 관 하나만 덜렁 싣고 나가 묻었어.
불쌍한 내 새끼….

이 얘기를 들은 무제는 사건을 재조사하게 했어
이런 어머니였기에 이런 아들을 낳았구나.
사건의 전모가 드러나 재상의 세 부하는 사형을 당했어.
진실
거짓
재상 청책은 자살했고
뭔가가 떨어졌는데?
풍덩
전신은 석방되었어.
황제는 장탕의 일을 애석하게 여겨 장탕의 아들을 관리로 등용했어.
이 한 몸 다 바치겠습니다!
사마천은 말했어.
질도는 강직하여 옳고 그른 것을 잘 따져 원칙을 지켰다. 장탕은 언제나 황제의 뜻에 맞으면서도 일의 옳고 그름을 가려 나라에 이익을 안겨 주었다.
그들의 방책은 후세 사람들을 가르쳤고 사악한 일을 금지시켰다. 그들은 비록 참혹하였지만 그 지위에 어울리는 인물들이었다.
원칙
정도
법

제12장
순우곤과 우맹—우스갯소리로 깨닫게 하다.
웃음
순우곤과 우맹은 《사기열전》 제66편 골계 열전에 나오는 사람들이야.
골계열전
골계란 말이 우스갯소리라는 뜻이니
이 사람들은 '우스갯 소리꾼' 인 셈이지.
골계
요즘으로 치면 개그맨 정도가 되겠지만
퐁
퐁
퐁
개그를 찾아서
사회적인 지위는 아주 낮았어!
사회
그들은 뛰어난 순발력과 풍자 능력을 가지고 군주들을 때로는 웃게 하고
실룩
푸하하!

때로는 화를 가라앉게도 했어.
갈갈이 대박 쌩쇼~
앵
또 어떤 군주들은 그들의 이야기를 들으면서 자기의 잘못을 깨달았지.
조잘~
조잘~
그럼 옛날 우스갯소리에 한번 빠져 볼까?
풍덩
옛날 개그
순우곤은 춘추전국 시대 제나라 사람으로 어떤 집안의 데릴사위였어.
데릴사위
데릴사위가 뭔지는 알지? 아내의 집에 들어가서 사는 사위.
처가살이
처가 살이가 뭐 어때서?
요즘에야 처가 부모님을 모시는 사위는 사람들의 칭찬을 받지만
대단한 친구야!
처갓집
고기
당시는 데릴사위를 아주 형편없는 못난이처럼 취급했어.
오죽 못났으면
그러니 순우곤은 사람들의 손가락질을 피할 수 없었지.
겉보리 서 말이면
처가살이 안 한다 했다!
게다가 키도 아주 작고 생김새도 영 형편 없었지.
우~씨! 이 정도면 됐지!
그러나 그는 익살스러운 재담을 잘해서 여러 제후들에게 자주 불려 다녔어.
조~잘
조~잘
익살
제나라 위왕 때의 일이야.
제 나 라

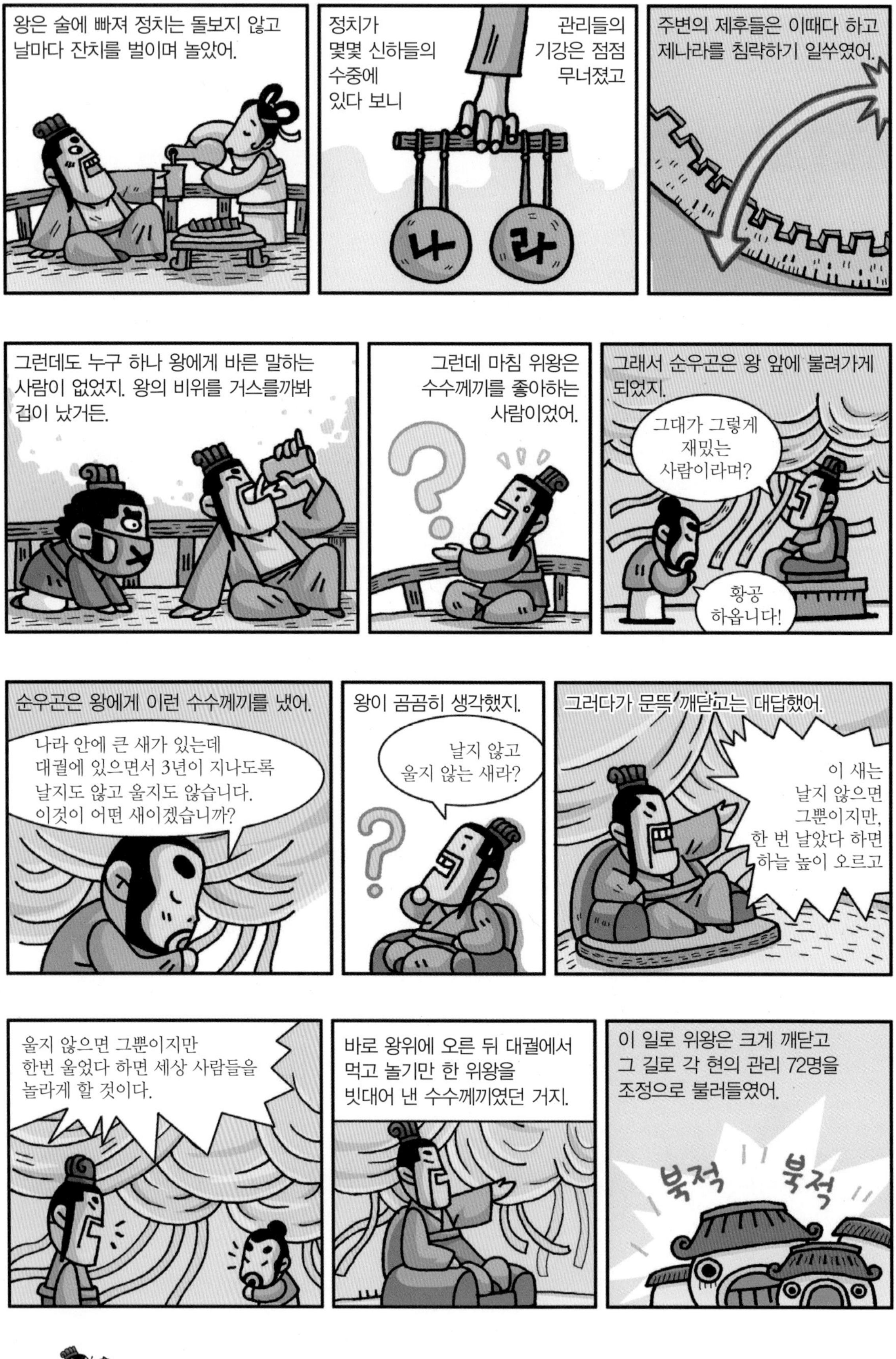

왕은 술에 빠져 정치는 돌보지 않고 날마다 잔치를 벌이며 놀았어.
정치가 몇몇 신하들의 수중에 있다 보니
관리들의 기강은 점점 무너졌고
나라
주변의 제후들은 이때다 하고 제나라를 침략하기 일쑤였어.
그런데도 누구 하나 왕에게 바른 말하는 사람이 없었지. 왕의 비위를 거스를까봐 겁이 났거든.
그런데 마침 위왕은 수수께끼를 좋아하는 사람이었어.
그래서 순우곤은 왕 앞에 불려가게 되었지.
그대가 그렇게 재밌는 사람이라며?
황공하옵니다!
순우곤은 왕에게 이런 수수께끼를 냈어.
나라 안에 큰 새가 있는데 대궐에 있으면서 3년이 지나도록 날지도 않고 울지도 않습니다. 이것이 어떤 새이겠습니까?
왕이 곰곰히 생각했지.
날지 않고 울지 않는 새라?
그러다가 문뜩 깨닫고는 대답했어.
이 새는 날지 않으면 그뿐이지만, 한 번 날았다 하면 하늘 높이 오르고
울지 않으면 그뿐이지만 한번 울었다 하면 세상 사람들을 놀라게 할 것이다.
바로 왕위에 오른 뒤 대궐에서 먹고 놀기만 한 위왕을 빗대어 낸 수수께끼였던 거지.
이 일로 위왕은 크게 깨닫고 그 길로 각 현의 관리 72명을 조정으로 불러들였어.
북적 북적

그들의 잘잘못을 엄하게 가려서 잘 한 사람에게는 상 주고, 잘못한 사람에게는 사형을 내렸어.
상
벌
그리고는 병사들의 사기를 북돋운 후 이웃 나라로 쳐들어갔지.
제후들은 제나라 군사의 사기에 깜짝 놀라 그동안 빼앗아갔던 제나라 땅을 모두 돌려줬어.
위왕이 즉위한 지 8년이 됐을 때 초나라가 제나라를 쳐들어 왔어.
제
초
왕은 이웃나라인 조나라에 구원병을 청하기 위해 머리 좋고 말 잘하는 순우곤을 보내기로 했어.
순우곤을 불러 황금 100근과 사두마차* 10대를 제나라에 줄 선물로 가져가라고 했지.
*사두마차 – 네 마리의 말이 끄는 마차
순우곤이 하늘을 보며 껄껄 웃었어. 하도 크게 웃어서 갓끈이 떨어져 나갈 정도였지.
푸하하 하
보통 사람 같으면 어림도 없는 일이었지만, 순우곤은 거침없이 왕 앞에서 웃었어.
저게 미친나?
선생은 이것이 적다고 생각하시오?
어찌 감히 그렇다고 하겠습니까?
그러니 왜 웃느냐 말이오?
순우곤의 대답은 이랬어.
제가 왕의 부름을 받고 오는 길에
길가에 풍년을 기원하는 사람을 만났습니다. 돼지 족발 하나와 술 한 잔을 손에 들고

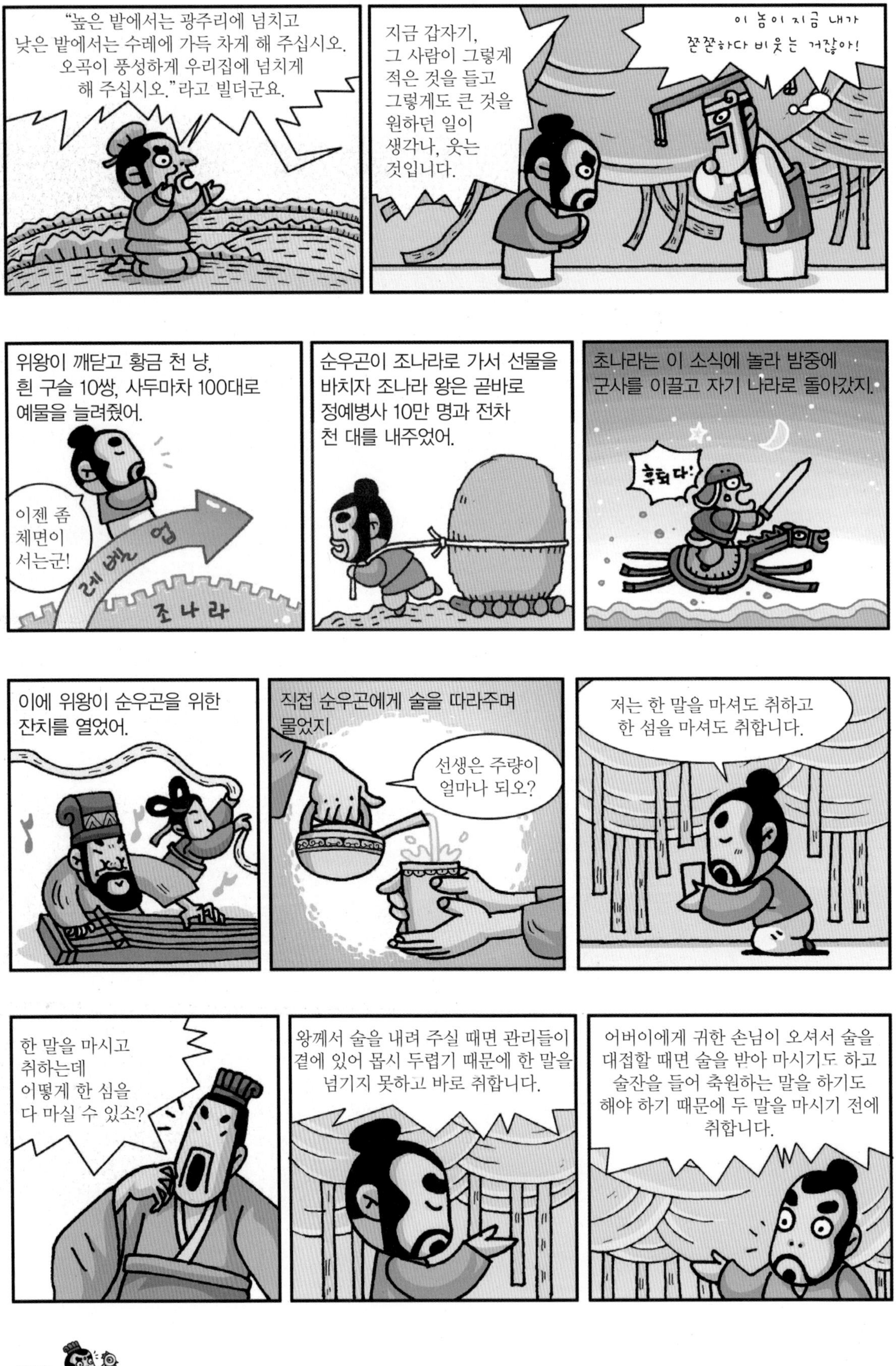
"높은 밭에서는 광주리에 넘치고
낮은 밭에서는 수레에 가득 차게 해 주십시오.
오곡이 풍성하게 우리집에 넘치게
해 주십시오."라고 빌더군요.
지금 갑자기, 그 사람이 그렇게 적은 것을 들고 그렇게도 큰 것을 원하던 일이 생각나, 웃는 것입니다.
이 놈이 지금 내가 쫀쫀하다 비웃는 거잖아!
위왕이 깨닫고 황금 천 냥, 흰 구슬 10쌍, 사두마차 100대로 예물을 늘려줬어.
이젠 좀 체면이 서는군!
레벨 업
조나라
순우곤이 조나라로 가서 선물을 바치자 조나라 왕은 곧바로 정예병사 10만 명과 전차 천 대를 내주었어.
초나라는 이 소식에 놀라 밤중에 군사를 이끌고 자기 나라로 돌아갔지.
후퇴다!
이에 위왕이 순우곤을 위한 잔치를 열었어.
직접 순우곤에게 술을 따라주며 물었지.
선생은 주량이 얼마나 되오?
저는 한 말을 마셔도 취하고 한 섬을 마셔도 취합니다.
한 말을 마시고 취하는데 어떻게 한 섬을 다 마실 수 있소?
왕께서 술을 내려 주실 때면 관리들이 곁에 있어 몹시 두렵기 때문에 한 말을 넘기지 못하고 바로 취합니다.
어버이에게 귀한 손님이 오셔서 술을 대접할 때면 술을 받아 마시기도 하고 술잔을 들어 축원하는 말을 하기도 해야 하기 때문에 두 말을 마시기 전에 취합니다.

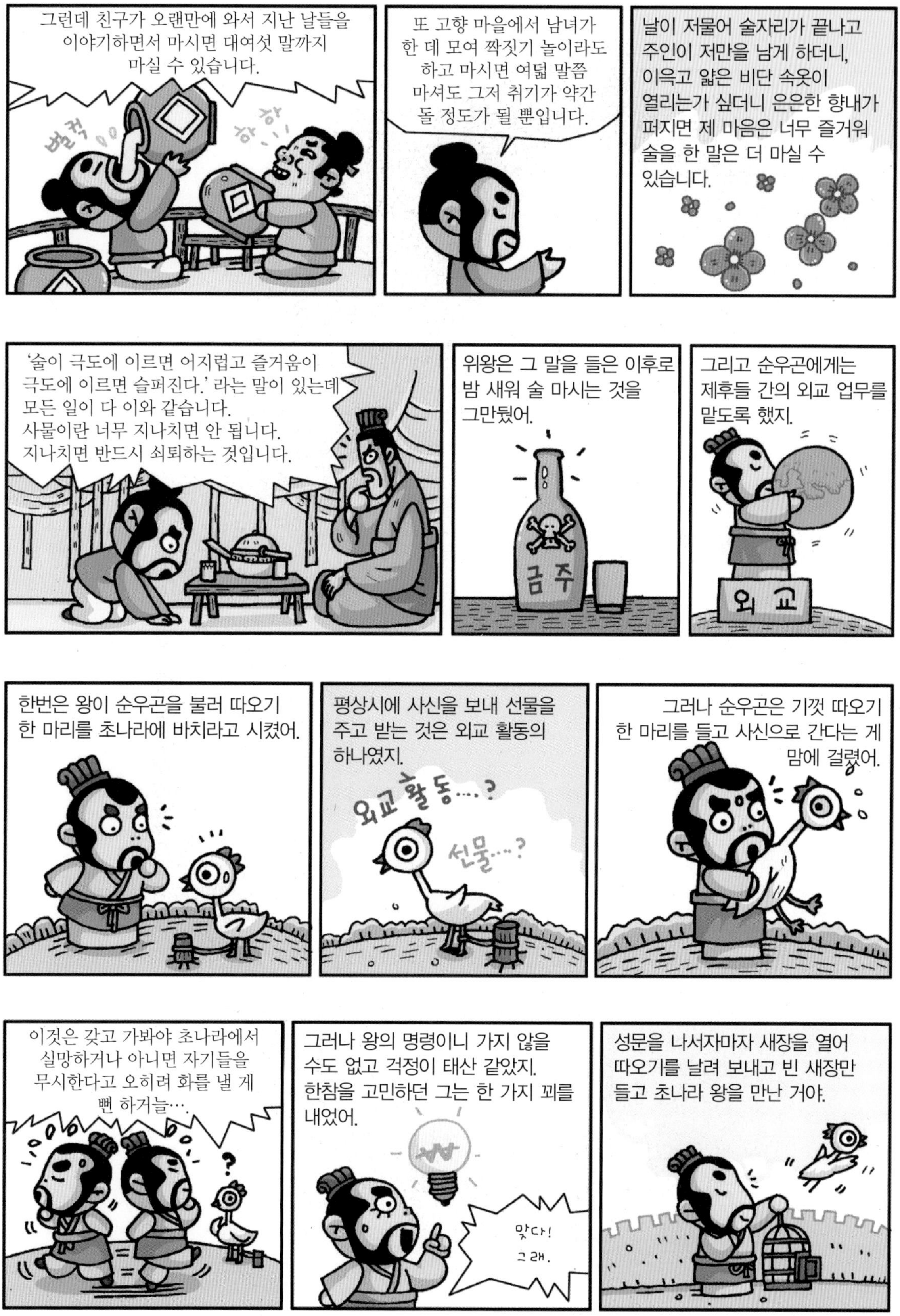
그런데 친구가 오랜만에 와서 지난 날들을 이야기하면서 마시면 대여섯 말까지 마실 수 있습니다.
벌컥
하하
또 고향 마을에서 남녀가 한 데 모여 짝짓기 놀이라도 하고 마시면 여덟 말쯤 마셔도 그저 취기가 약간 돌 정도가 될 뿐입니다.
날이 저물어 술자리가 끝나고 주인이 저만을 남게 하더니, 이윽고 얇은 비단 속옷이 열리는가 싶더니 은은한 향내가 퍼지면 제 마음은 너무 즐거워 술을 한 말은 더 마실 수 있습니다.
'술이 극도에 이르면 어지럽고 즐거움이 극도에 이르면 슬퍼진다.' 라는 말이 있는데 모든 일이 다 이와 같습니다. 사물이란 너무 지나치면 안 됩니다. 지나치면 반드시 쇠퇴하는 것입니다.
위왕은 그 말을 들은 이후로 밤 새워 술 마시는 것을 그만뒀어.
금주
그리고 순우곤에게는 제후들 간의 외교 업무를 맡도록 했지.
외교
한번은 왕이 순우곤을 불러 따오기 한 마리를 초나라에 바치라고 시켰어.
평상시에 사신을 보내 선물을 주고 받는 것은 외교 활동의 하나였지.
외교 활동….?
선물….?
그러나 순우곤은 기껏 따오기 한 마리를 들고 사신으로 간다는 게 맘에 걸렸어.
이것은 갖고 가봐야 초나라에서 실망하거나 아니면 자기들을 무시한다고 오히려 화를 낼 게 뻔 하거늘….
그러나 왕의 명령이니 가지 않을 수도 없고 걱정이 태산 같았지. 한참을 고민하던 그는 한 가지 꾀를 내었어.
맞다! 그래.
성문을 나서자마자 새장을 열어 따오기를 날려 보내고 빈 새장만 들고 초나라 왕을 만난 거야.

그리고 초나라 왕 앞에 머리를 크게 조아리고 이렇게 말했어.
저희 왕께서 따오기를 왕께 갖다드리라고 분부를 내렸습니다.
그런데?
그런데 길을 오다가 따오기가 하도 목말라 하기에 새장에서 꺼내 강물을 마시게 하였더니, 그만 날아가 버렸습니다.
제 임무를 다 하지 못하게 돼 스스로 목숨을 끊을까 생각을 했습니다만
그렇게 하면 사람들이 우리 왕을 보고 새 한 마리 때문에 선비를 죽게 만들었다고 비난할까 두려웠습니다.
그래서 비슷한 놈으로 한 마리 사서 가져올까 생각도 했습니다만 그것은 우리 왕을 속이는 것입니다.
또 다른 나라로 아예 도망을 칠까도 생각해봤습니다만, 그렇게 되면 제나라와 초나라의 사이가 나빠질까 걱정됐습니다.
그래서 이렇게 빈 새장을 들고 와서 저의 잘못을 자백하고 왕의 벌을 받으려고 하는 것입니다.
순우곤의 얘기를 다 들은 초나라 왕은 '오호, 신의 있는 선비로다' 하며 순우곤을 칭찬하고 상을 내렸지.
진정한 충신이로다!
황송합니다!
그 상은 따오기를 바쳤을 때 받을 수 있는 양의 두 배도 넘는 양이었어.
순우곤이 활약한 때로부터 100년 쯤 뒤,
100년 뒤
초나라에 우맹이라는 사람이 살았어.
초 나 라

그는 원래 음악가였는데 키가 크고 말주변이 좋았지.
크다!
작다!
초나라 장왕 때의 일이야. 왕이 아끼는 애마가 한 필 있었는데,
히이이잉~
무늬 있는 비단 옷을 해 입히고 깨끗하고 화려한 집에서 기르면서 침대까지 만들어 주었어.
말 팔자가 상팔자여~
말에게 임금의 간식거리인 대추를 먹이는가 하면 심지어 마른 고기를 먹이기까지 했지.
많이 먹거라!
그런데 운동을 너무 안 해서 살찌는 병으로 죽었어.
내…가 왜 이러지…
애마가 죽자 왕은 신하들에게 상복을 입게 하고 대부가 죽었을 때처럼 후하게 장사를 치르도록 했어.
한낱 짐승에게 이럴 수는 없어!
대부는 아주 높은 벼슬아치야. 보다 못한 신하들이
폐하! 짐승에게 이런 장례는 어울리지 않습니다.
다들 시끄럽다!
왕은 사람들을 향해 엄포를 놓았어.
감히 나의 애마에 대해 말하는 자가 있으면 사형에 처하겠다.
이 말을 들은 우맹은 궁궐로 들어갔어.
궁궐
그리고 하늘을 우러러보며 큰 소리로 울었지.
엉
엉
엉
울음소리를 듣고 왕이 물었어.
무슨 까닭으로 그대는 그처럼 슬피 우는가?
말은 왕께서 아끼시던 것인데,
대부가 죽은 것처럼 장사를 지내는 것은 너무 약소합니다. 원컨대 국왕이 죽은 것처럼 후하게 장사 지내십시오.

어떻게 하면 좋겠소?
옥으로 관을 짜고 무늬 있는 가래나무로 바깥 널을 만드십시오.
병사를 동원해 무덤을 파게 하고,
노약자들에게 흙을 져 나르게 하며,
제나라와 조나라의 사신을 불러 앞 줄에 서게 하고, 한나라와 위나라 사신을 불러 뒤를 호위하게 하십시오.
그리고는 말 사당을 세워 제사 지내십시오.
말 사 당
제후들이 이 소식을 들으면 대왕께서 사람을 천하게 여기고 말을 귀하게 여긴다는 것을 모두 알게 될 것입니다.
그때서야 왕이 깨닫고 물었어.
이렇게 잘못을 저질렀으니 이제 어쩌면 좋겠소?
짐승이 죽은 것처럼 장사 지내십시오.
부뚜막으로 바깥 널을 삼고 구리로 만든 솥을 속널로 삼아 생강과 대추를 섞어 볏짚으로 제사 지내고, 불꽃으로 옷을 입혀 사람의 창자 속에 장사 지내는 것입니다.
무슨 소리인지 알 것 같아? 어려워? 후후, 한마디로 죽은 말을 부뚜막 위의 솥에다 생강과 대추를 넣고 끓여서
사람이 먹게 하자는 얘기지. 왕은 우맹의 말에 따라 말을 요리사에게 넘겼어.

우맹이 어질다는 것을 아는 초나라의 재상 손숙오는 우맹을 잘 대해줬지.
손숙오가 병들어 죽기 전에 자기 아들을 불러 말했어.
내가 죽으면 우리집에 재산이 없어 너는 틀림없이 가난해질 것이다. 그러면 우맹을 찾아가라, 우맹은 만나거든 '저는 손숙오의 아들입니다' 라고 말하거라.
손숙오가 죽고 몇 년이 지나자 손숙오의 아들은 스스로 땔나무를 하러 산에 가야 할 정도로 살림이 어려워졌어.
그래서 아버지의 유언대로 우맹의 집을 찾아갔지.
우맹
저는 재상 손숙오의 아들입니다.
아버님께서 돌아가시기 전에 저에게 가난해지거든 선생님을 찾아 뵈라고 당부하셨습니다. 그래서 염치 불구하고 이렇게 찾아 왔습니다.
우맹은 그를 반갑게 맞이하고 자기 집에 머물게 했어.
그리고는 손숙오의 옷을 입고 손숙오의 관을 쓰고 그가 살아 있을 때의 말투와 행동을 흉내 내기 시작했어.
험 험
1년을 그렇게 했더니 거의 손숙오와 비슷해졌지.
내 모습이 너의 아버지랑 닮았느냐?
물론 입니다!
목소리 행동 모든 게 아버님을 보는 것만 같습니다!

어느날 왕이 잔치를 벌였어. 우맹이 나아가 왕에게 술을 따르니,
왕은 깜짝 놀라 손숙오가 살아 돌아왔다고 했어.
제 잔 한잔 받으십시오!
손숙오!
죽은 사람이 어떻게 살아 돌아 왔나?
푸하하! 난 정말 손숙오가 살아 돌아온 줄 알았네!
황송합니다! 폐하!
그리고 우맹에게 재상을 맡아 달라고 했지.
재상을 맡아주면 어떻겠나?
폐하! 성은이 망극 합니다.
그러나 먼저 집에 가서 아내와 상의하게 해 주십시오.
사흘 뒤에 가짜 손숙오인 우맹이 궁궐에 다시 나타났어. 왕이 물었지.
아내가 뭐라고 하던가?
제 아내가 말하기를 "재상을 하지 마세요. 초나라 재상이란 할 만한 것이 못됩니다.
손숙오 같은 분을 보세요. 청렴하게 초나라를 다스려 초나라 왕을 천하의 우두머리로 만들어 놓지 않았습니까?
그런데 그가 죽자 그의 아들은 송곳 하나 세울 땅도 없고 땔나무를 해야 할 처지에 놓였습니다.
손숙오처럼 될 바에는 차라리 스스로 목숨을 끊는 편이 낫습니다." 라고 했습니다.

장왕은 우맹에게 사과하고 손숙오의 아들을 궁궐로 불렀어.
미안하구려. 미처 거기까지는 생각지 못했소!

그리고 400호가 사는 땅을 내려주며 그 곳에서 나오는 세금으로 아버지의 제사를 지내라고 했어.
세
금

사마천은 말했어.
하늘의 도는 넓고 넓으니 어찌 위대하다 말하지 않겠는가.
은근한 말 속에도 이치에 맞는 것이 있으니 이것 덕분에 얽힌 문제들을 풀 수 있도다.
'말 한 마디로 천냥 빚을 갚는다.' 라는 말도 있는데…. 후후.

어때? 사기의 여러 인물들을 만나보니까. 너무 많아서 다 기억이 날 것 같지 않다고? 하지만 곧 그 사람들을 다 떠올릴 기회가 곧 올 거야. 우리가 자주 사용하는 사자성어나 속담에 아주 많이 등장하니까. 그리고 그때가 되면 《사기열전》의 인물들에 대해 이야기해 준 내 생각도 조금은 떠오르겠지.
맹상군열전

알고보면 더 재미있는 중국 역사 이야기

법
법

삼황오제에서 한나라까지

사마천이 《사기》에서 오제시대부터 한나라 무제 시대까지를 다루고 있다는 얘기는 1장에서 했지? 그 말은 곧 중국 역사의 시작부터 자기가 살고 있던 시대까지의 중국 역사를 다 다루고 있다는 말이라는 얘기도 했고. 그럼 여기서는 한나라 때까지의 중국 역사의 흐름을 정리해 보기로 하자.

심황 중 한 명인 염제 신농은 사람들에게 처음으로 농사를 가르쳤다.

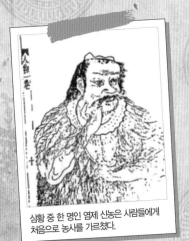

중국에는 삼황오제 전설이 있어. 옛날 옛적 중국을 다스리던 '세 황과 다섯 제' 즉 '여덟 분의 황제'에 관한 전설인데, 전설의 갈래에 따라 조금씩 다르긴 하지만, 삼황은 신농씨, 복희씨, 여와씨이고 오제는 황제, 전욱, 제곡, 요, 순이야. 이 전설상의 황제들은 중국인에게 농사짓는 법이라든가 문자, 불, 혼인제도 같은 것들을 가르쳐 중국 문명을 발전시켰다고 하는데, 그 중에서도 덕으로 중국을 통치하다가 역시 덕을 갖춘 인물에게 평화롭게 왕위를 물려준 요임금과 순임금은 중국 최고의 이상적인 황제로 중국 사람들의 칭송을 받았어.

요임금 때에 대홍수가 일어나자 우라고 하는 사람이 발탁되어 홍수를 다스렸는데, 우는 그

공로로 순임금의 뒤를 이어 중국을 다스리게 되었어. 우임금은 나라이름을 '하' 라고 했어. 우임금이 10년을 다스리다가 죽은 후 그 후손들이 470여년을 다스렸다고 하는데, 아직은 이 하나라가 실제로 중국 역사에 있었던 나라라는 것을 증명해내지 못하고 있어.

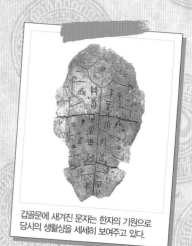

하나라가 전설상의 왕조로 여겨지고 있는데 비해, 상('은' 이라고도 함)나라는 실제로 있었던 중국 최초의 국가야. 기원전 1600년경, 그러니까 지금으로부터 3600년쯤 전부터 시작해서 270여년을 다스렸다고 하는데, 마지막 왕이었던 주왕이 포악한 통치로 백성을 괴롭히자 이를 빌미로 주나라의 무왕이 쳐들어옴으로써 결국 망하게 되었어. 상나라도 한때는 하나라처럼 전설상의 왕조로 취급당한 적이 있었지만, 상나라에서 점을 치던 거북껍질이 1899년에 대규모로 발견되고 거기에 적혀진 글자(갑골문이라고 해)를 통해 상나라 왕의 계보를 정확하게 확인하게 됨으로써 지금은 당당하게 중국 최초의 나라로 자리를 잡게 되었지.

갑골문에 새겨진 문자는 한자의 기원으로 당시의 생활상을 세세히 보여주고 있다.

상나라의 뒤를 이어 중국을 다스리게 된 나라는 주나라야. 주나라는 넓어진 지역을 다스리기 위해 봉건제도를 실시하였는데 봉건제도는, 중심지는 왕이 직접 다스리고 나머지 지역은 제후들에게 나누어줘서 다스리게 하는 제도야. 그런데 제후들은 대개 왕의 친척들 즉 주나라 왕의 동생뻘이나 조카뻘이 되는 사람들이었지. 이렇게 제후들을 친척으로 임명하는

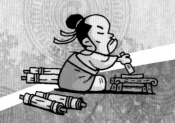

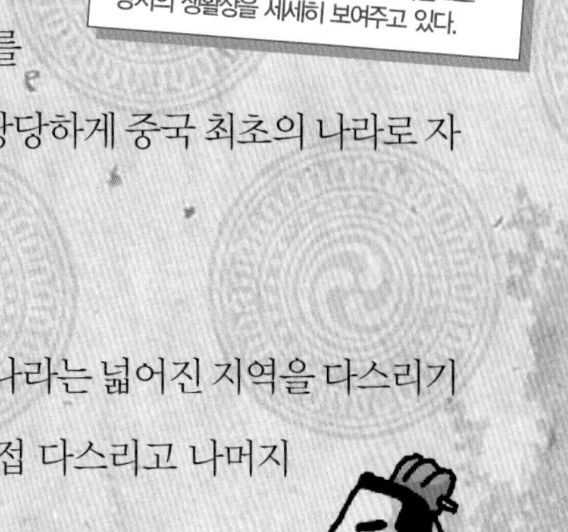

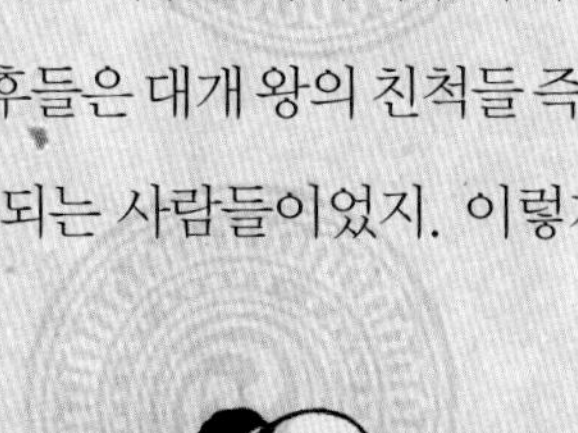

것은 왕의 세력을 유지하는 데 도움이 돼. 만약 제후들의 힘이 왕보다 커진다 하더라도 자기 형님뻘이나 아저씨뻘이 되는 왕에게 함부로 굴 수는 없지 않겠어?

그런데 이런 상태가 끝까지 유지되기는 힘들었어. 시간이 흐르면서 왕과 제후 사이의 혈연관계가 점점 멀어져 갔거든. 왕과 제후의 촌수가 계속 벌어지면서, 말이 친척이지 사실상 남남처럼 되었을 때 북쪽에서 견융이라고 하는 민족이 중국에 쳐들어왔어. 주나라 왕이 견융을 막아내지 못하고 수도를 동쪽으로 옮기자, 봉건제도는 완전히 무너졌어. 그러잖아도 주나라 왕실로부터 멀어지고 있던 제후들이 힘 없는 주나라 왕을 무시하고 독립국으로 행세하기 시작했거든.

주나라가 있긴 하되 예전처럼 중국 전체를 사실상 지배하지는 못하고, 제후국들이 독립하여 서로 경쟁하는 시대를 춘추전국 시대라고 해. 기원전 8세기부터 기원전 3세기까지 550여년이나 계속된 시대인데, 제후국들 간의 전쟁이 끊이지 않아 사회적으로는 굉장히 불안했지만, 경제적으로나 문화적으로는 많은 발전이 있었던 시대야. 제후들이 자기 나라를 부유하고 강하게 만들기 위해 경쟁적으로 영토를 넓히고 경제를 발전시키고 학자들을 우대했기 때문이지.

전국 시대 말이 되면 '전국 7웅' 이라고 하여, 7개의 강력한 제후국들이 성장하게 돼. 이 나라들은 서로 천하를 차지하기 위해 다투었는데, 그 중 법치(법에 의한 통치)를 통해 국력을 기른 진나라가 결국 천하를 통일하게 돼. 그러나 진나라의 중국 통일은 오래 가지 못했어. 급격한 중앙집권 정책에 대해 지방 세력이 반발하고, 법치에 익숙하지 않던 백성들의 저항도 만만치 않게 일어났거든. 결국 진나라는 무력으로 백성을 억압하던 시황제가 죽은 후 농민반란이 일어나 사실상 멸망하게 돼.

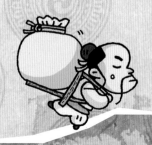

진나라의 뒤를 이어 중국을 다시 통일한 것은 한나라였어. 한나라의 유방은 시황제가 죽은 후 최고의 실력자로 떠오른 초나라의 항우와 대결하여, 항우를 누르고 천하의 지배자가 되었어. 천하의 왕이 된 유방은 진나라의 실패를 거울로 삼았어. 진나라처럼 급격하게 중앙집권을 하려 하지 않았을 뿐만 아니라 법치대신 유교이념을 받아들여, 덕으로 통치하는 부드러운 왕의 이미지를 만들어 나갔지. 그 후 한나라의 7번째 왕이 된 무제에 의해 한나라는 더욱 발전하게 되었어.

한나라의 왕실 생활을 보여주는 석관 부조

이제 정리가 좀 되지? 이렇게 역사적인 흐름을 알고 《사기열전》을 읽으면 훨씬 쉽게 내용이 이해될 테니 여기서 정리한 내용들은, 《사기열전》을 다 읽을 때까지 잊지 말고 꼭 기억하도록 하자!

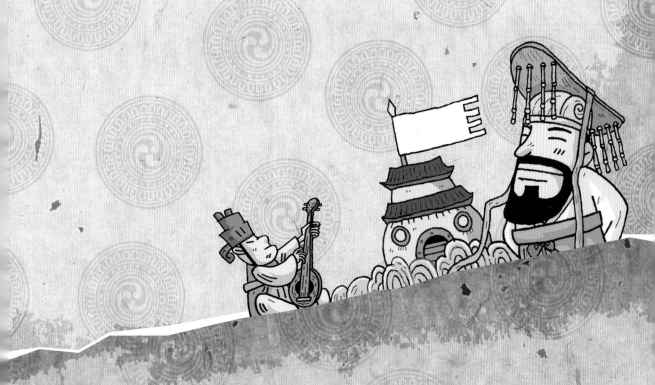

중성의 관리, 환관

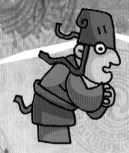

사마천은 궁형을 받은 지 삼년 만에 다시 벼슬자리에 올라 중서령이 되었는데, 중서령은 궁중의 여러 가지 행사를 맡아보는 환관의 직책이었다고 했어. 그렇다면 환관이란 어떤 것일까? 여기서 좀 더 자세히 알아보기로 해.

중국 자금성

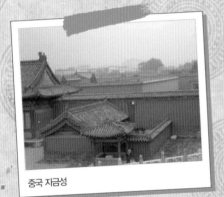

환관은 왕실에서 근무하는 남자 관리들을 말해. 궁궐 안에서는 왕과 왕비, 많은 후궁들이 생활하고 있는데, 그들의 시중을 들기 위해서는 궁녀들 외에도 남자들이 필요했거든. 특히 왕과 궁녀들을 호위하고 궁궐을 경비하는 일 같은 것은 남성이 아니면 할 수 없는 일이었어. 그렇지만 왕의 입장에서는 자기 외의 다른 남자들을 궁궐 안에 살게 한다는 건 너무 불안한 일이었어. 그들이 자칫 자신의 여자인 후궁과 궁녀들을 넘볼 수도 있을 테니까. 그래서 왕은 남자로서의 기능을 상실한 사람들로 하여금 궁궐의 여러 가지 일들을 보게 하였는데 이들이 바로 환관이야.

역사적으로 보면 환관이 되는 길은 세 가지 정도가 있었어. 첫째, 전쟁포로로 잡혀 거세 당한 후 환관이 된 경우, 둘째, 죄를 지어 궁형을 당한 후 환관이 된 경우, 셋째, 부모 혹은 자신의 의지로 스스로 거세한 후 환관이 된 경우 등이었지. 중국에서 기록상 환관이 처음 나타난 것은 상나라 때였는데 그 때는 주로 첫째 부류가 많다가 한나라 때에 궁형이 제도화되면서 둘째의 경우가 부쩍 늘어나게 되었지. 사마천의 경우가 여기에 해당된다는 것은 2장에서 다들 읽었지?

거세용 칼

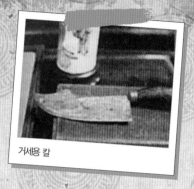

초기의 환관들은 대개 전쟁포로 출신이 많았기 때문에 하는 일도 비교적 단순했어. 궁중의 잔심부름꾼이나 왕의 몸종 노릇 정도가 그들의 역할이었지. 그러나 춘추전국 시대 이후 환관의 업무가 늘어나면서 재상을 능가할 정도로 강력한 권한을 지닌 환관들이 나타나기 시작했어. 제나라 환공의 환관이었던 수조와 진나라 시황제의 환관이었던 조고가 대표적인 인물인데, 그들은 각각 환공과 시황제가 죽은 후 후계자를 바꿔치기도 할 정도였지. 후한을 멸망에 이르게 한 조충이나 장양 같은 환관들도 마찬가지야. 그렇게 되자 민간인들 사이에서는 멀쩡한 몸으로 가난하게 사는 것보다 비록 고자가 되더라도 궁궐에 들어가서 사는 것이 훨씬 낫겠다는 생각을 하는 사람들이 나타났어. 스스로 거세하여 환관이 된 세 번째 부류의 사람들이 여기에 해당되지.

복원된 정화 함대의 선박: 길이 63.3m, 폭 13.8m 크기로, 6개의 돛대에 모두 8개의 돛을 갖춘 대형 범선이다. 선수 쪽은 2층, 선미 쪽은 3층으로 돼 있으며 한꺼번에 400명을 태울 수 있는 규모이다. 이 선박은 정화 함대에서 중간급 크기의 범선으로 함대의 지휘선 역할을 했다. 정화 함대에서 큰 범선은 길이가 126m, 폭 61.6m에 이르며, 1000명 가량의 인원이 승선할 수 있었던 것으로 전문가들은 추정한다.

환관은 외모에서도 보통 남자들하고 달랐어. 남성호르몬의 분비가 줄어들어 수염이 나지 않았고 남성호르몬을 생산하는 데 사용되어야 할 영양분이 제대로 사용되지 못한 채 몸속에 쌓였기 때문에 대체로 살이 많이 쪘어. 또 상대적으로 여성 호르몬의 영향을 많아 나이가 들수록 점점 여성적인 특징이 나타나기도 했어. 피부가 여자들처럼 희고 깨끗해질 뿐만 아니라 성격도 세심해지고 목소리도 가늘어졌지. 신경도 예민해져서 작은 일에 감정이 상해하는 경우도 많았다고 해. 물론 모든 환관이 다 여성적인 외모와 행동거지를 보였던 건 아냐. 장수가 되어 용맹을 떨친 인물도 많았지. 명나라 때에 대함대를 이끌고 7차례에 걸쳐 동남아시아, 인도양, 아프리카 동부 연안까지를 정복했던 정화는 그 대표적인 인물이라고 할 수 있지. 그렇지만 많은 환관들이 평생을 궁중 안에서 남성이라고 할 수 없는, 중성의 인물로 살다 갔어. 이름도 후손도 남기지 못 한 채로 말이야.

포사의 웃음과 바꾼 주나라의 운명

'위험을 가지고 도박하지 말라'는 제목의 이 그림은 중국판 양치기 소년 유왕의 고사를 표현하고 있다.

우리 말 속담에 '주색잡기에 패가망신 안 하는 놈 없다.'라는 말이 있어. 주(술), 색(여자), 잡기(노름, 놀이)에 빠지면 누구나 집안을 망치고 신세까지 망치게 된다는 뜻이지. 그런데 그 주색잡기에 빠진 사람이 보통의 남자가 아니고 왕이라면 어떻게 될까? 그래, 당연히 나라가 망하겠지?

중국 역사에는 주색잡기에 빠져 자신의 신세뿐만 아니라 나라까지도 망하게 한 왕이 여럿 등장해. 앞에서 본 상나라의 주왕 같은 사람이 대표적이고 하나라의 걸왕, 주나라의 유왕, 오나라의 부차가 모두 거기에 해당 돼. 당나라 현종의 경우도 나라가 망하기까지 한 건 아니지만 비슷한 경우라고 보면 되겠지. 그들은 정치는 돌보지 않고 사랑하는 여인과 더불어 술과 쾌락으로 나날을 보냈어. 걸왕에게는 말희, 유왕에게는 포사, 부차에게는 서시, 현종에게는 양귀비라는 희대의 미인이 있었지.

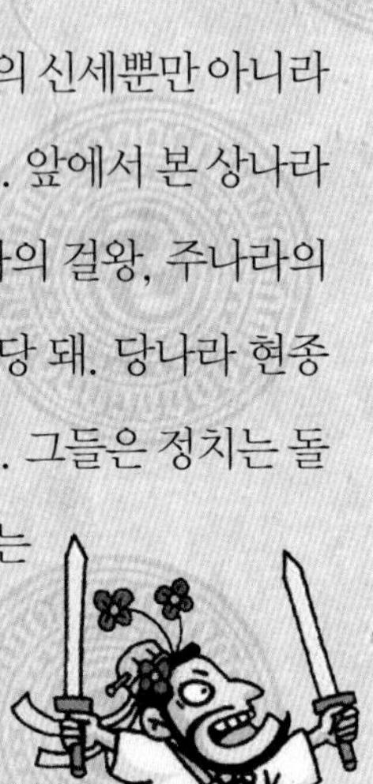

그런데 그런 이야기들 중에서 주나라의 마지막 왕인 유왕과 포사의 이야기는 좀 독특해. 여인의 웃음과 나라의 운명을 맞바꾼 꼴이 되어 버렸거든.

사기에 따르면 포사는 원래 주나라 후궁의 계집종이 낳은 아이로, 포나라에서 자랐다고 해. 나중에 포나라 사람들이 유왕에게 죄를 짓자 아름다운 그녀를 유왕에게 바치며 용서를 빌었지. 포사를 본 유왕은 첫눈에 그녀에게 반해버렸어. 그래서 포사에게 잘 보이기 위해 온갖 애를 썼어. 포사가 아들을 낳자 원래의 왕비와 왕비가 나은 아들을 태자 자리에서 내쫓고 포사와 그 아들을 왕비와 태자로 삼을 정도였지.

서주시대의 청동기

그런데 유왕에게는 한 가지 걱정이 있었어. 포사가 절대로 웃지를 않는 거야. 그녀를 웃겨보려고 온갖 수단과 방법을 다 동원하였지만 소용이 없었어. 그러던 어느 날 실수로 봉화가 올라갔어. 적이 쳐들어오거나 반란이 일어났을 때 나라의 위급함을 알리기 위해 피워 올리는 신호 말이야. 봉화를 본 제후들이 정신없이 군대를 끌고 궁으로 모여들었어. 그런데 와서 보니 외적은커녕 아무 일도 없는 거야. 제후들은 한편으로 실망하고 한편으로 화가 나서 어쩔 줄 몰라 했어.

그 모습을 본 포사가 깔깔대며 웃었어. 좀처럼 웃지 않는 포사가 웃는 것을 본 유왕은 얼마나 기뻤는지 몰라. 그래서 유왕은 단지 포사가 웃는 모습을 보기 위해 봉화를 계속 올려댔어. 처음에는 놀라 달려오던 제후들이 시간이 흐를수록 점점 뜸해졌어. 더 이상 왕과 봉화를 믿지 못하게 된 거지.

그때 쫓겨난 왕비의 아버지가 견융족과 손잡고 반란을 일으켰어. 유왕이 봉화를 올려 긴급하게 군사동원령을 내렸지. 그러나 어떤 제후도 오지 않았어. 이번에도 유왕이 거짓으로 봉화를 올렸다고 생각한 거지. 유왕은 간신히 궁궐을 빠져나왔지만 결국 견융족에게 죽임을 당했어. 이로써 서주는 멸망하게 돼.

이후 포사는 경국지색(나라를 기울게 한 미인)의 대표적인 인물로 두고두고 사람들의 입에 오르내리게 되었어.

주나라의 통치제도 - 봉건제도

주 무왕

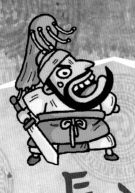

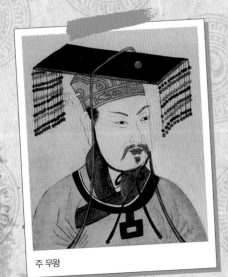

상나라를 멸망시킨 주나라의 무왕은 자신의 친척과 신하들을 지방으로 보내어 자기 대신 각 지역을 다스리도록 했어. 왕은 물론 멀리 떨어진 지방까지도 자기가 다 다스리고 싶었겠지만 당시의 형편으로는 그게 불가능했어. 자기가 그 넓은 지역을 직접 다스리기 위해서는 군사력도 무지 강해야 했고 또 거기에 필요한 통치 제도도 있어야 했거든. 그래서 일단은 자기가 가장 믿을 만한 사람을 보내 각 지방을 다스리게 함으로써 각 지방을 자기의 세력 아래에 두고, 또 상나라를 섬기던 세력들도 견제하도록 하였던 거야.

이때 왕으로부터 통치권을 넘겨받아 지방을 다스리게 된 사람을 '제후' 라고 하였는데, 제후는 왕으로부터 아무런 간섭도 받지 않고 자기 생각대로 나라를 다스릴 수가 있었어. 이렇게 왕이 모든 지역을 직접 다스리는 것이 아니라, 왕은 일부 지역만을 다스리고 나머지 지역은 제후들을 보내어 다스리게 하는 제도를 '봉건제도' 라고 해.

그런데 봉건제도 아래에서 제후들이 다스리는 땅은 '國' 이라고 불렀어. 앗, 한자! 놀라지 마. 한자라고 지레 겁먹을 필요 없어. 아마 아는 한자일걸? 그래, '나라 국' 자야. 그러니까 주나라에서 파견한 제후가 다스리는 땅도 다 하나의 독립된 '나라' 인 거지. 결국 주나라 왕이 다스리는 큰 나라 밑에 제후들이 다스리는 여러 개의 신하 나라가 연결되어 있는 모양이라고 할까?

두 필의 말이 끌도록 되어 있는 주나라의 전차 모형

혹시 옛날 중국에 관한 책을 읽다가 이런 생각해 본 적 없어? '제나라, 초나라, 오나라, 월나라… 이런 나라들은 학교에서 배우지도 않는데 어디 있다 이렇게 많이 나오는 거야? 그리고 왕들은 왜 또 이렇게 어마하게 많지? 분명히 같은 시대인데, 오왕, 월왕. 초왕…' 하고 말이야.

사실 위에서 말한 나라들은 다 주나라 때 중국에 있었던 제후국들이야. 주나라 초기에는 그 외에도 엄청나게 많은 제후국들이 있었는데 모두 합하면 130~180개 정도나 되었다고 해. 또 제후들은 주나라 왕의 입장에서 보면 신하이지만, 자기가 다스리는 나라의 백성들 입장에서는 왕이니, 제후들도 모두 다 왕이라고 하는 거지. 단, 왕 중의 왕이었던 주나라 왕은 '하늘의 아들' 이라는 뜻의 '천자' 라고 불러서 다른 제후국 왕들과 구별하기도 했지. 이제야 왜 학교에서는 그냥 주나라 시대라고만 배우는 시대에, 그렇게 많은 나라와 왕의 이야기가 나오는지 이해할 수 있겠지?

봉건제도는 상나라 때에 시작되었지만 본격적으로 발달한 것은 주나라 때였어. 우리가 봉건제도를 주나라의 통치제도라고 부르는 이유도 바로 그 때문이지. 그러나 봉건제도는 왕의 힘이 세서 제후들이 왕을 두려워 할 때는 별 문제가 없지만, 왕의 힘이 약하면 제후들이 마치 자기가 독립국의 왕인 것처럼 행세하게 된다는 문제점이 있어. 힘 있는 제후국들이 왕을 두려워 하지 않고 서로 천하의 주인인 것처럼 행세하며 다투던 춘추전국 시대가 바로 그런 시절이야. 왕의 입장에서는 참 괴로운 시절이겠지? 그리고 '어떻게든 힘을 길러서 내가 직접 온 나라를 다스려야지' 하고 별렀겠지? 시간이 흘러 힘을 기른 왕이 결국 봉건제도를 중국에서 완전히 없앨 수 있었던 것은 한 나라 초기를 지난 다음이었어.

'와신상담'의 유래

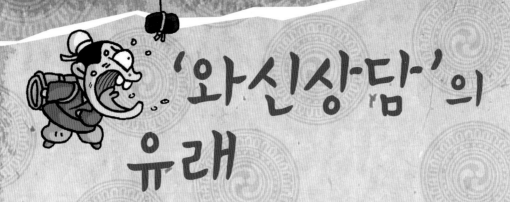

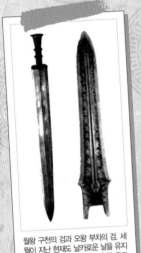

월왕 구천의 검과 오왕 부차의 검. 세월이 지난 현재도 날카로운 날을 유지하고 있어 월나라의 놀라운 청동 주조 기술을 보여주고 있다.

자기가 세운 어떤 목적을 이루기 위해 괴로움을 참고 견디는 것을 '와신상담' 이라고 해. '땔나무 위에 눕고 쓸개를 맛본다.' 라는 뜻인데, 오나라 왕 부차가 장작더미 위에 누워 자고 월나라 왕 구천이 쓰디쓴 쓸개를 핥으면서, 자신이 당한 굴욕을 되새긴 데서 나온 고사성어야.

5장에서, 오자서가 모시던 오나라 왕 합려가 월나라 왕 구천과 싸우다가 입은 상처 때문에 결국 죽게 되었다는 이야기를 들었지? 죽게 된 합려가 태자 부차를 불러 다음과 같이 말했단다. '너는 구천이 아비를 죽인 일을 잊겠느냐?' 부차는 다짐했지. '절대로 잊지 않겠습니다.'

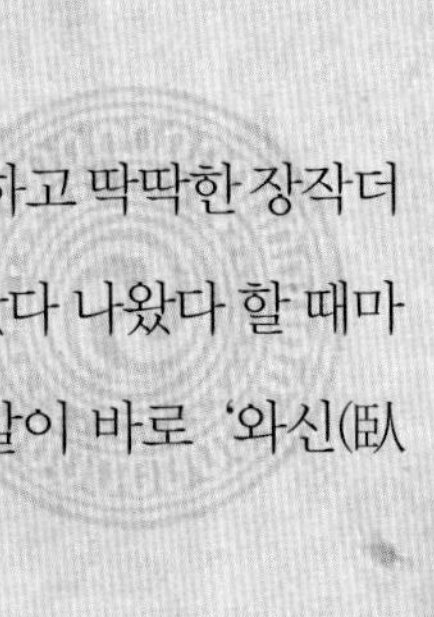

이후 왕이 된 부차는 아버지의 원수를 잊지 않기 위해 푹신한 침대를 마다하고 딱딱한 장작더미 위에서 잠을 잤단다. 그러면서 침실 앞에 부하를 세워두고 자신이 들어갔다 나왔다 할 때마다 "부차야, 아버지의 원수를 잊었느냐." 고 소리치게 했대. 여기서 나온 말이 바로 '와신(臥薪)' 이라는 단어야. 누울 와, 땔나무 신해서 '땔감 위에 눕다' 라는 뜻이지.

와신을 하면서 복수의 기회를 노린 부차는 군사를 길러 월나라를 쳐들어갔어. 월나라 왕 구천이 회계산으로 도망가자, 오자서는 추격해서 구천을 없애자고 했어. 그런데 궁지에 몰린 구천이 '앞으로 저는 오나라의 신하가 되고 제 아내는 전하의 첩으로 보내겠습니다.' 라며 항복을 했어. 물론 오나라의 신하였던 백비에게 뇌물을 보내 자기편을 들어주도록 부탁하는 것도 잊지 않았어.

구천이 부차의 환심을 사기 위해 바친 여인 서시

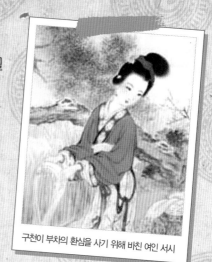

구천이 보통 사람이 아니라는 것을 알고 있었던 오자서가 '구천이 지금 항복하고자 하는 것은 진심으로 오나라에 복종할 뜻이 있는 것이 아니라, 단지 지금의 위기를 벗어나기 위해서입니다. 그를 지금 없애지 않으면 나중에 반드시 후회할 겁니다.' 라고 반대했음에도 불구하고 오나라 왕 부차는 백비의 꾐에 넘어가 월나라의 항복을 받아들였어.

구천은 일단 오나라가 물러가자 겉으로는 오나라에게 갖은 선물을 갖다 바치면서 친한 척했어. 그러나 회계산에서의 치욕을 잊지 않기 위해 자기 자리 옆에 쓸개를 달아 놓고 틈이 날 때마다 쓸개를 맛보았단다. 동물의 쓸개는 입에 댈 수 없을 정도로 쓴 맛이 나지. 그러면서 '너는 회계의 치욕을 잊었느냐' 고 스스로에게 물으면서 복수의 날만 기다렸지. 여기서 나온 말이 바로 '상담(嘗膽)' 이야. 맛볼 '상', 쓸개 '담' 해서 '쓸개를 맛보다' 라는 뜻이지. 그로부터 20년이 지난 후 결국 구천은 부차를 잡아 죽이고 오나라를 멸망시키게 돼.

'와신상담' 이란 말은 이렇게, 원수를 갚기 위해 '와신' 한 오나라 왕 부차의 이야기와 '상담' 한 월나라 왕 구천의 이야기가 합쳐져서 생긴 말이야.

전국 7웅과 합종연횡책

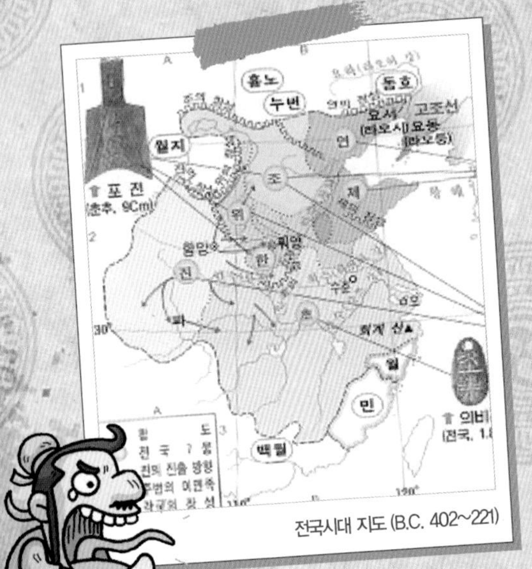
흉노
누번
동호
고조선
연
조
제
위
한
진
초
파
월
민
백월
월지
포전
의비
전국시대 지도 (B.C. 402~221)

춘추 시대의 그 많던 제후국들은, 전국 시대에 들어오면서 거의 지도상에서 사라졌어. 지도에서 보는 것처럼 진, 한, 조, 제, 위, 연, 초의 일곱 나라가 그 나라들을 다 흡수 · 통합해 버렸거든. 이 나라들을 '전국 시대의 일곱 큰 나라' 라는 뜻으로 '전국 7웅' 이라고 하는데, 그 중에서도 진나라는 강력한 개혁 정책을 통해 나머지 나라들 위에 우뚝 서는 국력을 갖추게 돼.

이제 나머지 여섯 나라가 선택할 수 있는 길은 두 가지. 하나는 여섯 나라가 군사 동맹을 맺어 진나라에 대항하는 것이고 다른 하나는 진나라에 복종하여 비록 진나라의 신하 나라로라도 살아 남는 것이었어. 그 중에서 소진은 첫 번째 방식을 여섯 나라에 권했던 것이었지.

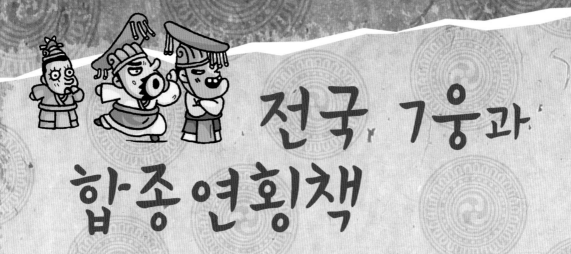

그렇다면 진나라는 이런 여섯 나라의 동맹을 가만히 지켜보고만 있었을까? 당연히 그러지

않았겠지? 진나라는 한 나라 한 나라를 개별적으로 상대하여 달래고 어르면서 여섯 나라의 동맹을 깨뜨리려 하였어.

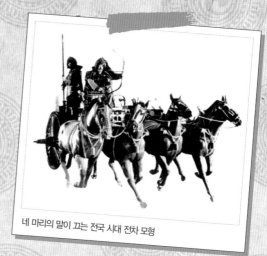

네 마리의 말이 끄는 전국 시대 전차 모형

진나라의 입장에서 이런 외교 전술을 이끌었던 인물은 장의라는 사람이야. 위나라 출신으로 그도 역시 소진처럼 귀곡선생의 제자였어. 그는 진나라의 재상이 되어 소진의 여섯 나라 동맹 정책에 맞서면서 진나라의 세력을 차츰 넓혀나갔어. 각각의 나라에게, 무모하게 진나라에 대항하는 것이 얼마나 위험한 것인지를 알리고 진나라에 복종하면 나라는 유지할 수 있게 해 주겠다는 유인책도 제시했지. 여섯 나라의 동맹이 점차 깨지게 되는 것은 바로 이런 장의의 작전이 서서히 효력을 나타냈기 때문이야.

여섯 나라가 연합하여 진나라에 대항하게 하는 소진의 정책은 '합종책', 여섯 나라가 각각 진나라와 개별적으로 동맹을 맺어 진의 보호를 받게 하는 장의의 정책은 '연횡책'이라고 했는데, 결과가 어떻게 될지 아무도 모르는 외교전술에 자신의 운명을 걸었던 두 사내의 대결은《사기열전》제9편 소진 열전과 제10편 장의 열전에 흥미진진하게 기록되어 있어.

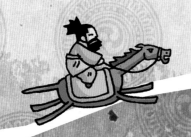

권력
초
연
조
한
위
제

철제농기구와 우경

철기시대의 거푸집

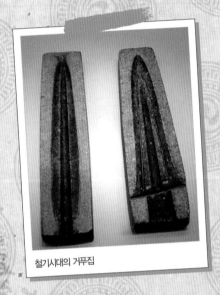

점심시간에 학교 급식실에 가봤지? 우리 학교 학생 전체가 같이 먹는 점심 한 끼를 준비하려면 급식실은 그야말로 호떡집에 불 난 것 같이 정신없지 않아? 한 학교 학생이라고 해 봤자 초등학교라면 보통 2,000명, 중학교라면 보통 1,000명 정도밖에 안 되는데도 말이지. 그런데 제나라의 맹상군 같은 사람은 자기 집에 3,000명씩이나 되는 식객을 거느리고 있었다고 하잖아? 그 3,000명이나 되는 사람을 하루에 한 끼도 아닌 2끼, 3끼씩이나 밥을 해먹여야 했으니 정말 얼마나 정신 없었을지 짐작할 만하지? 더구나 놀라운 것은, 지금부터 2200년이 훨씬 넘는 그 옛날에 그만한 사람을 먹일 수 있을 만큼 맹상군이 부자였다는 사실인데…

실제로 춘추전국 시대에는 맹상군 말고도 수천 명의 식객을 거느린 사람들이 꽤 있었어. 《사기열전》 맹상군 열전의 다음 편에 죽 이어 나오는 조나라의 평원군, 위나라의 신릉군, 초나라의 춘신군 등이 모두 그런 사람들이야. 물론 그런 사람의 숫자가 극히 적긴 하지만, 그래도 그 정도의 부자들이 있다는 것은 그만큼 그 시대의 경제가 발달해 있었다는 얘기겠지?

그 시대 경제발전의 가장 근본적인 원동력은 철제 농기구의 보급과 우경의 확대였어. 철제 농기구란 쇠로 만든 쟁기나 괭이, 호미, 낫 같은 농사도구를 말하고 우경이란 소를 농사에 이용하는 것을 말하는데, 그것들이 '춘추전국 시대 경제발전의 원동력이었다' 라는 말을 들으니 '그까짓 것들이 뭘 그렇게까지 대단한 일을 했을까' 라는 생각이 들기도 하지?

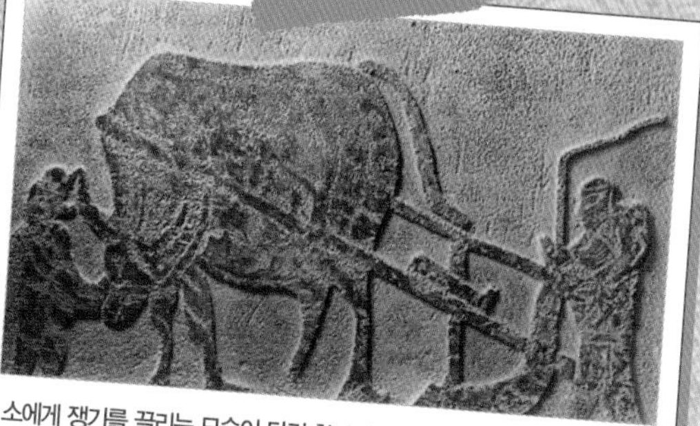
소에게 쟁기를 끌리는 모습이 담긴 한나라 시대 무덤의 벽돌.

그렇지만 그건 우리들의 오해야. 우리는 농업 외에도 다른 산업이 엄청나게 발달해 있는 시대에 살고 있기 때문에 농업이 얼마나 중요한지를 잘 몰라서 그렇지. 전통시대에 사람들의 경제수준에 가장 크게 영향을 끼친 것은 농업이었거든. 농업이 발달해서 생산이 늘어나게 되면 당장 사람들의 경제생활이 풍족해지고, 자기가 먹고 쓰고도 남는 것을 시장에 내다 팔아 상업도 덩달아 발달하고, 농업이나 상업을 통해 부자가 된 사람들을 위해 전문적으로 물건을 만들어내는 수공업자들도 덩달아 늘어나게 되는 식이지.

춘추전국 시대는 중국에서 철제농기구가 본격적으로 보급되기 시작한 시기야. 쇠로 만든 도끼는, 그동안 사람들이 손대기 힘들었던 깊은 숲을 베어내고 그 땅을 농사짓는 땅으로 바꿀 수 있게 해 주었고, 쇠로 만든 쟁기는, 기름진 흙이 표면에 올라올 수 있도록 땅을 깊게 갈 수 있게 해 주었어. 더구나 그 쟁기를 소에게 매어주면, 이전에 사람의 힘으로 갈 때와는 비교도 안 될 정도로 깊게 땅을 갈 수가 있었지. 그 덕분에 춘추전국 시대에는, 같은 수의 사람들이 같은 땅에서 같은 시간을 일해도, 이전에 수확하던 양의 몇 배나 되는 수확을 올릴 수가 있었던 거야. 그리고 그렇게 발달하는 농업의 영향으로 상업과 수공업도 급속하게 발달하였던 거고.

지금 우리들의 눈에는 별것 아닌 듯이 보이는 철제농기구와 소가 춘추전국 시대에는 경제 발전과 정치의 변화를 이끈 아주 중요한 선진기술이었다는 말을 이제는 이해할 수 있겠어?

항우와 유방

진시황은 만 리에 이르는 장성을 쌓았지만 내부로부터의 멸망을 피할 수는 없었다.

진시황이 죽은 후 항우와 유방이 천하를 놓고 서로 다투었어. 그런데 같은 초나라 출신이면서 둘 다 천하 평정의 큰 뜻을 품고 있던 사람들이지만 둘의 성격이 아주 달랐다고 해. 항우가 적극적이고 직선적인 성격이라면 유방은 약간은 소극적이고 자기의 생각을 바로 드러내지 않는 성격이었던 거지. 어린 나이에 진시황의 행차를 바라보던 항우가 '머지않아 내가 저 놈을 대신할 것이다' 라고 내뱉어 같이 있던 삼촌의 가슴을 철렁하게 한 것에 비해, 어른이 되어 진시황의 행차를 본 유방이 '아, 대장부라면 마땅히 저래야 하는데…' 라며 한숨을 쉬었다는 이야기는 두 사람의 그런 성격 차이를 잘 보여주고 있지.

또 대대로 초나라의 장군을 지낸 귀족 집안 출신이면서 유방보다 나이도 15살이나 적었던 청년 장군 항우가 자신의 힘을 믿고 부하들의 말에는 잘 귀를 기울이지 않았던 데 비해, 이름 없는 농민의 아들로 태어나 나이 40살이 되어서야 세상에 자기 이름을 드러내었던 유방은 부하들의 의견에 귀를 잘 기울였다고도 해.

어쨌거나 두 사람은 초나라의 회왕을 모시고 동맹을

초패왕 항우

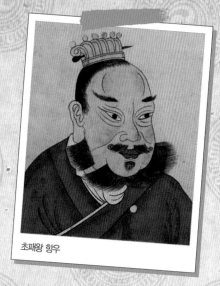

맺어, 먼저 진나라의 수도 함양에 들어가는 사람이 진나라의 본거지인 관중의 왕이 되기로 약속했지. 항우는 진나라의 주력군을 격파하면서 열심히 진격해 나갔어. 그러나 항우가 관중으로 들어갔을 때는 이미 유방이 수도 함양에 들어가 있던 때였어. 유방은 부하들의 충고에 따라 진나라의 보물에 일절 손을 대지 않고, 부하들에게도 함부로 사람을 죽이지 못하도록 엄하게 명령을 내리고서 항우를 기다리고 있었어. 비록 자기가 먼저 함양에 들어오긴 했지만 아직은 자기의 힘이 항우를 이길 만큼 되지 못한다는 것을 잘 알았기 때문이지.

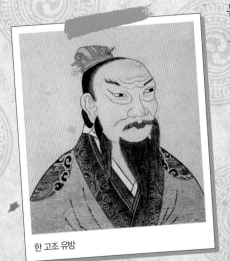

유방보다 한 달 늦게 도착한 항우는 화가 머리 꼭대기까지 났어. 유방을 치기 위해 홍문이라는 곳에 진을 쳤지. 그런데 항우를 만나기 위해 홍문에 온 유방은 아주 깍듯한 자세로 자신이 항우의 신하임을 강조했어. 항우는 유방의 태도에 마음이 누그러져서 유방을 용서해 버렸어. 연회가 벌어지는 중에 부하들이 유방을 죽이라고 계속 눈짓을 보냈지만 항우는 그런 부하들의 요구를 못 본 척했지. 위기를 벗어난 유방은 화장실에 가는 척하면서 바로 도망쳐 버렸어.

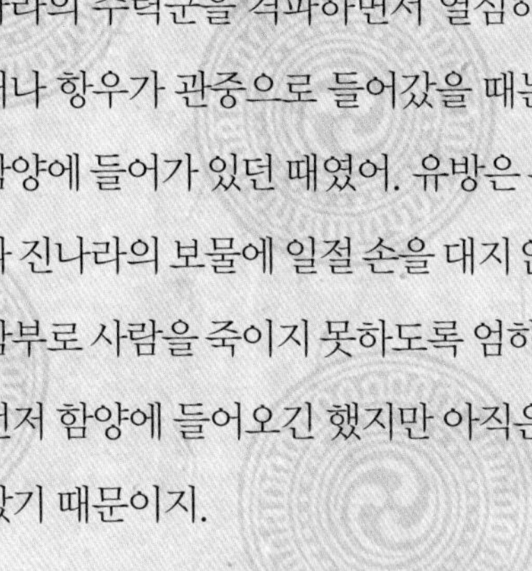
한 고조 유방

초나라와 한나라의 천하를 건 싸움은 '장기'에 고스란히 남아 있다.

드디어 함양을 차지한 항우는 유방과 정반대로 행동하였어. 진나라 왕을 죽이고 궁궐의 창고를 열어 보물을 빼앗았으며 궁녀들을 범하고 궁전에 불을 놓았던 거지. 백성들의 마음이 그에게서 떠나는 것은 당연하겠지? 한신이 처음 유방의 대장군이 되었을 때 '병사를 이끌고 동쪽으로 가면 격문을 돌리는 것만으로도 항왕에게 굴복했던 옛 진나라 땅을 차지할 수 있을 겁니다.' 라고 자신 있게 유방에게 말할 수 있었던 것은 바로 이런 배경 때문이었던 거야.

관중의 왕이 된 항우는 스스로를 '패왕' 이라고 부르면서 천하의 주인이 되었어. 유방에게는 서쪽 변두리의 한(漢) 땅을 내려주어 제후가 되게 했지. 유방이 항우를 무너뜨리고 천하의 주인이 될 수 있었던 것은 그로부터 4년이 지난 다음이야. 마지막 결전이 치러졌던 해하의 성 안에

서 유방에게 패한 항우가 불렀다는 노래를 들려줄게.

초패왕 항우와 우미인의 이별을 소재로 한 경극 〈패왕별희〉

힘은 산을 뽑고 기운은 세상을 덮을 만하거늘
때가 불리하니 추가 나가려 하지 않는구나.
추가 나가려 하지 않음은 어쩔 수 없지만
우여, 우여 내 너를 어찌하면 좋을까

力拔山兮氣蓋世 역발산혜기개세
時不利兮騅不逝 시불리혜추불서
推不逝兮可奈何 추불서혜가내하
虞兮虞兮奈若何 우혜우혜가내하

추는 항우가 타던 천리마이고 우는 항우가 전쟁터를 누비면서도 한 번도 곁에서 떼어놓지 않았던 사랑하는 여인이었어. 이 노래를 부른 항우는 다음 날, 도망치라는 권유를 뿌리치고 맨 걸음으로 한나라 군사들과 맞붙어 싸우다가 장렬한 최후를 맞게 돼.

장건과 비단길

서역으로 출발하는 장건 일행

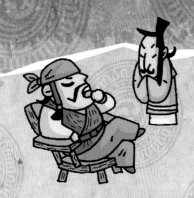

'비단길' 이란 말 들어봤지? 그래, 'Silk Road' . 중국의 서쪽에서부터 유라시아 대륙을 가로지르던 옛날 무역로인데, 이곳에서 거래된 상품 중에 가장 대표적인 것이 중국의 비단이었기 때문에 '비단길' 이라는 이름이 붙게 되었지. 그런데 재미있는 것은 다른 나라의 상인들이 중국의 비단 덕에 많은 돈을 벌고 있었음에도 불구하고 중국은 오랫동안 그런 무역로가 있다는 것을 까맣게 모르고 있었다는 사실이야. 중국이 우연히 그런 길이 있다는 것을 알게 되는 사연을 들려줄게.

한나라 무제 때의 일이야. 몇 차례 원정군을 보내도 흉노를 굴복시킬 수 없자 무제는 다른 방법을 생각했어. 흉노와의 싸움에 서역(지금의 중앙아시아)에 있는 대월지라는 나라를 끌어들이려고 한 거야. 9장을 보면 흉노와 세력을 다투다가 결국 흉노에게 쫓겨난 월지라는 민족이 있지? 그 월지가 서쪽으로 가서 세운 나라가 대월지라는 나라였거든. '그래, 흉노에게 원한이 있는 대월지를 끌어들여 함께 흉노를 치자고 해야겠다.'

무제는 대월지와 동맹을 맺으려고 했어. 그런데 대월지로 가는 일은 매우 위험한 일이었어. 대월지로 가기 위해서는 반드시 흉노의 땅을 지나야만 했거든. 무제는 이 일을 담당할 사신을 널리 구했어. 그때 갓 벼슬에 오른 장건이란 사람이 용감하게 지원을 했어. 무제는 아주 기뻐하며 그에게 시종 100여 명을 내려 주었어. 그 중에는 흉노 말을 아는 흉노족 출신 노예인 감보도 있었어.

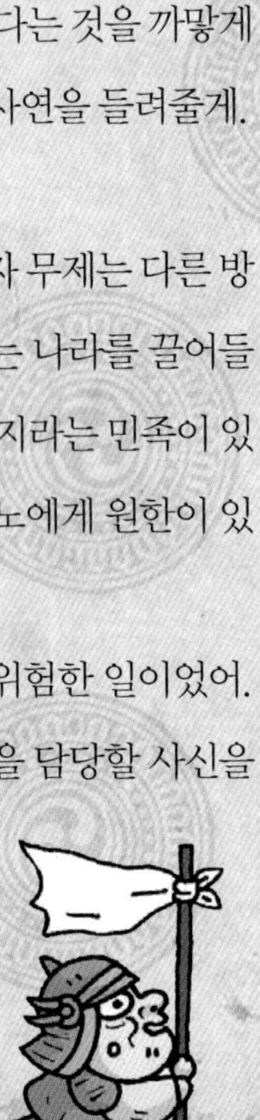

서역에 도착한 장건 일행

그런데 장건 일행은 흉노 땅에 들어가자마자 곧 흉노에게 잡혔지. 흉노의 선우는 장건에게 '월지는 우리나라 건너에 있는데 한나라에서 이렇게 사신을 보낼 수 있소? 만약 내가 한나라 건너에 있는 월나라에 사신을 보낸다면 한나라에서는 기꺼이 허락하겠소?' 라고 하며 그들을 붙잡아 두었지. 장건은 흉노 땅에서 10년을 살았어. 흉노가 마음을 놓게 하려고 흉노의 여인과 결혼해서 자식들까지 뒀지. 그러나 속으로는 자기 임무를 잊지 않았어.

어느 날 장건은 감시가 느슨해진 틈을 타서 가족과 감보 등의 무리들을 이끌고 몰래 서쪽으로 달아났어. 서쪽에 있던 대완이라는 나라는 진작부터 한나라와 통상하기를 희망했기에 장건을 대대적으로 환영해 주었지. 그리고 안내인을 붙여 강거라는 나라로 보내주었고 강거는 다시 이들을 대월지로 보내주었지. 그러나 대월지는 새 땅으로 옮겨가서 이미 흉노에 대한 원한은 잊어버리고 있었어. 장건은 일 년 동안 대월지에 머물렀지만 아쉽게도 동맹을 맺지는 못한 채 귀환길에 올랐지. 오는 길에 또 흉노에게 붙잡혀 1년 남짓 억류생활을 한 끝에 간신히 한나라의 수도로 돌아왔을 때는 이미 한나라를 출발한 지 13년이라는 세월이 흘러 있었고, 함께 떠났던 100여 명 중에서 살아 남은 자는 오직 자기와 흉노족 노예 감보 두 사람뿐이었어.

장건은 자기가 보고 들은 여러 나라에 대해 자세하게 보고서를 써서 황제에게 바쳤지. 거기에는 그 동안 중국이 알지 못했던 서역의 많은 나라들에 대한 정보가 들어 있었고 특히 중국의 비단이 서역의 여러 상인들에게 중요한 상품으로 취급되고 있다는 사실도 들어 있었지. 보고를 받은 한나라 무제는 무척 기뻐하며 흉노를 피해 그 나라들에 이르는 길을 찾도록 명령했어. 바로 비단길이 활짝 열리는 순간이었어.

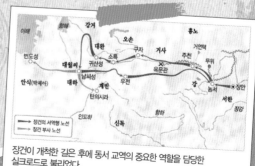

이해
함해
강거
흉노
오손
대완
구자
거사
거연택
번도성
소륵
주천
대월씨
귀산성
무위
옥문관
남씨성
우전
안식(박제아)
대하
강
계빈
농서
장안
탄의시라
서한
장강
황하
인도하
신독
장건의 서역행 노선
장건 부사 노선

장건이 개척한 길은 후에 동서 교역의 중요한 역할을 담당한 실크로드로 불리었다.

한 무제의 경제 정책

한 무제

무제가 10여 년에 걸쳐 벌인 흉노와의 전쟁은 한나라의 경제 사정을 아주 어렵게 만들었어. 전쟁 자체를 하는 동안 소비된 군사비도 많았지만 항복한 흉노들에게 내려준 상금도 엄청났고 그들이 다시 침입하는 것을 막기 위해 배치한 수많은 병사들에게 들어가는 비용도 만만치가 않았거든. 더구나 그렇게 힘들게 얻은 흉노의 땅은 농사가 불가능한 땅이었기 때문에 한나라의 경제가 나아지는 데는 아무런 도움도 되지 않았지.

무제는 이런 경제적인 위기를 타개하기 위해 새로운 경제 정책을 시행했어. 그것을 사람들은 '중농억상' 의 정책이라고 말하는데, 상인들의 이익을 세금으로 거둬들여 나라의 재정을 튼튼하게 하려는 데에 목적이 있기 때문이야. 중농억상은 '농업(농민)을 중시하고 상업(상인)을 억제한다.' 라는 뜻이야.

그 정책의 첫 번째는 소금과 철을 국가에서 독점적으로 판매하는 거였어. 우리도 잘 알다시피 소금은 사람들이 생활하는 데 꼭 필요한 필수품이잖아? 또 철은 무기와 농기구의 재료가 되는 귀한 자원이기도 했지. 수요가 많은 이런 상품들을 독점 판매함으로써 국가는 큰 이익을 남길 수 있었어. 국가가 남긴 이익이 무려 원가의 10배나 되었다고 해.

'문경지치'라 일컫는 한나라 전성기를 일구어낸 문제(좌)와 경제

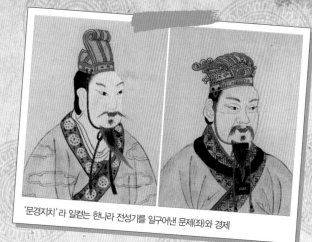

또 다른 정책은 균수법과 평준법이라는 것이었어. 균수법은 세금으로 거둬들인 물자를 그 물자가 부족한 지방에 내다 팔아 이익을 남기고, 평준법은 물건 값이 쌀 때 사들였다가 물건 값이 비쌀 때 내다 팔아 이익을 남기는 정책이야. 이것들도 역시 국가 재정에 큰 도움을 주었어. 그러나 이러한 정책 때문에 상인들이 입는 피해는 엄청났어. 사실 균수법, 평준법에서 국가가 하는 역할을 그동안 대신해 왔던 것이 상인들이었거든. 상인들은 자기들이 얻을 이익을 모두 국가에 빼앗기게 되었던 거지.

상인들이 받은 타격은 여기에서 끝나지 않았어. 국가가 상인들에게만 유독 많은 세금을 물렸거든. 상인들이 내야 하는 세금은 농민들에 비해 5배가 넘었어. 상인들은 세금을 피하려고 재산을 낮추어 신고하기도 했지만 그것도 쉽지는 않았어. 만약 재산을 낮춘 것이 탄로 나면 전 재산을 몰수당해야 했거든. 또 재산을 낮춘 자를 신고하는 자에게는 빼앗은 재산의 절반을 상금으로 주어 신고를 장려하기도 했지. 이 때문에 웬만한 상인들은 파산을 하지 않을 수 없었어.

이러한 경제 정책으로 한나라의 살림살이는 상당히 회복될 수가 있었어. 또 물가가 안정되니 농민들도 좋아했지. 그러나 이러한 정책을 제대로 시행하기 위해서는 잘 훈련된 관리들이 필요했어. 상인들은 조금이라도 틈이 보이면 법망을 피하려고 안간힘을 썼거든. 특별히 무제 시기에 혹리가 많을 수밖에 없었던 이유는 바로 여기에 있었어.

고대 중국 사람들의 오락

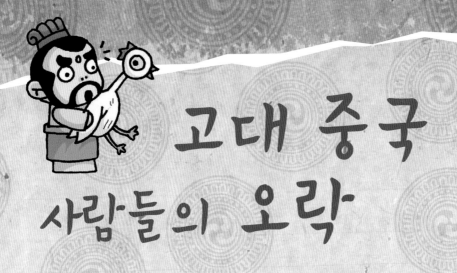

고대 중국 사람들은 무엇을 하고 놀았을까? 다음의 자료들은 한나라 시대 전후의 유물들인데 우리는 이 자료들을 통해 당시 사람들의 놀이문화를 짐작할 수 있어.

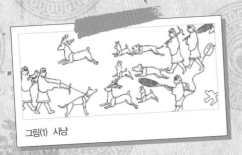

남겨진 유물들을 보면 고대의 상류층들에게 가장 인기가 있었던 것은 집단 사냥이었던 것 같아. 여러 사람이 함께 사냥하는 모습이 무덤벽화 같은 데서 자주 등장하거든. 하긴 사냥이라는 것이 여러 가지로 유익하기는 하지. 고기를 얻을 수 있을 뿐만 아니라 신체도 단련하고 자기 휘하의 병사들을 훈련시킬 수도 있으니까. 그림1은 개를 이용해서 토끼와 사슴을 사냥하는 장면이야. 오른쪽에 있는 사람들이 들고 있는 망은 사정거리 안에 들어온 사냥감을 낚아채는 데 필요한 도구지.

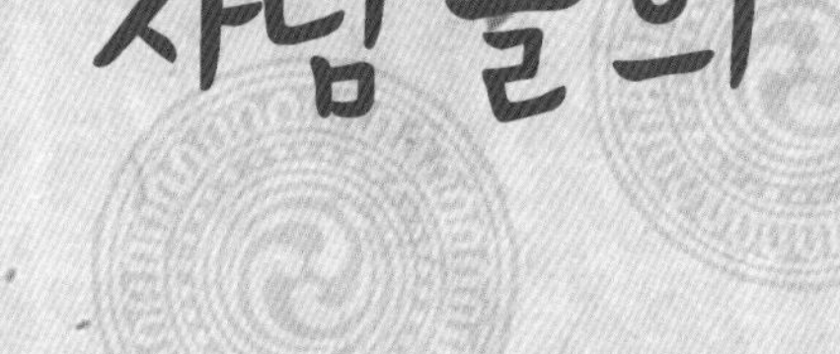
그림(1) 사냥

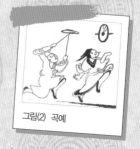

구경거리가 많기로는 왕이나 귀족들이 벌이는 잔치자리를 따라갈 만한 것이 없었지. 그림2는 접시돌리기를 하는 사람과 바퀴돌리기를 하는 사람이야. 《사기열전》에도 잔치 이야기가 자주 나오지만 잔치자리에는 가수나 악사 이외에 춤꾼, 우스갯소리꾼, 그리고 이런 곡예사 들이 초빙되어 각자의 재주를 뽐내었지. 신나는 음악과 노래, 재미있는 이야기, 아슬아슬하고 흥미로운 서커스가 있는 잔치자리, 어때? 생각만 해도 흥이 절로 나지 않아?

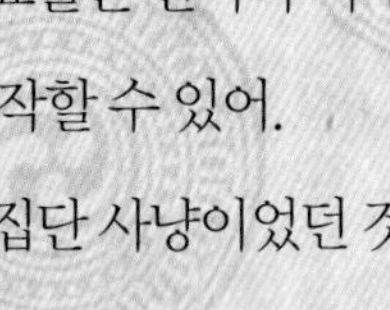
그림(2) 곡예

시장이나 사람들이 많이 지나다니는 길거리에서는 닭싸움이나 개 달리기 경기 같은 것이 개

최되어 지나가는 사람의 발길을 멈추게 했어. 그림3은 닭싸움 장면인데, 두 마리의 싸움닭 주인들이 엄청 흥분하고 있는 것으로 보아 뭔가 중요한 내기를 하고 있나 보지? 지나가던 구경꾼들도 아마 나름대로 편을 정해 내기를 하지 않았을까 싶어.

그림(3) 닭싸움

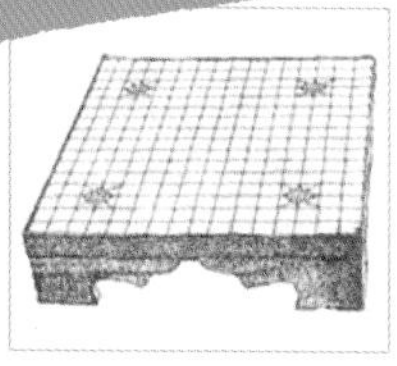
그림(4) 바둑판

그림(5) 투호 놀이

그림(6) 주사위

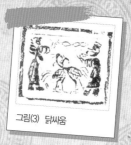

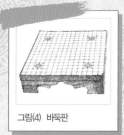

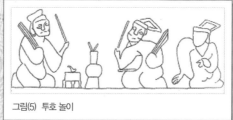

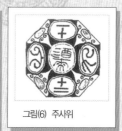

그림4, 5, 6의 유물은 지금 우리들에게도 익숙한 것들이야. 이미 2000년 전부터 사람들은 바둑, 투호놀이, 주사위 놀이 따위를 하고 놀았던 거지. 바둑에 대해서는 더 설명할 필요가 없을 것이고, 투호가 어떻게 하는 놀이인지는 알지? 화살을 통에 던져 넣어 많이 넣는 쪽이 이기는 거잖아. 그런데 주사위는 요즘 흔히 보는 6면체와 달리 18면체야. 그림에 보이는 가운데 면에 쓰인 한자는 '酒來' 즉, '술이 온다' 라는 뜻이니까, 아마 주사위를 굴렸을 때 이 면이 나오면 술을 내야 했던 모양이지?

그림(7) 장난감 새차

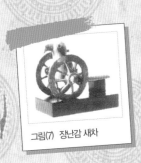

마지막으로 어린이들의 장난감을 소개할게. 그림7은 청동으로 만든 새차인데, 아이들이 끌고 다니면서 놀던 장난감이야. 새의 가슴 쪽에 끈을 꿰는 곳이 있지? 거기에 끈을 꿰서 앞에서 끌면 바퀴가 구르면서 움직이겠지? 나이가 든 아이들에게는 유치할지 몰라도 어린 아이들에게는 아마 이것만큼 멋진 장난감도 없었을 거야.

어때? 중국 고대 사람들이 놀던 방식이 현대 한국인인 우리에게도 별로 낯설지 않지? 아마 사람들이 즐거움을 느끼는 방식은 옛날 사람이건 현대인이건, 중국인이건 한국인이건 크게 차이가 없나 봐.

웃음

사마천 사기열전

정연 글 | 진선규 그림

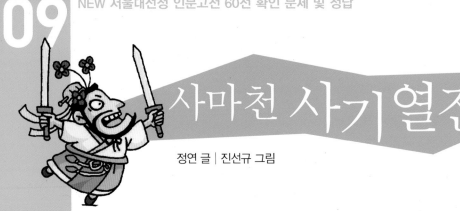

01 다음 중 사마천의 《사기》에 나오는 이야기가 아닌 것은 무엇일까요?

① 은나라 멸망 이야기

② 흉노의 묵돌선우 이야기

③ 진시황의 천하통일 이야기

④ 당나라 현종과 양귀비의 사랑 이야기

⑤ 항우와 유방이 천하를 두고 다투는 이야기

02 다음 괄호 속에 알맞은 말을 넣으세요.

사마천의 《사기》는 기전체로 쓰여 있다. 기전체란 본기 외에 여러 개의 장을 갖는 서술 방식을 말하는데, 본기의 '기'와 (　　　　)의 '전'을 따서 만든 말이다.

---

03 《사기열전》을 쓴 사람은 누구일까요?

① 일연　② 김부식　③ 사마천　④ 거칠부　⑤ 이태백

04 다음 중 《사기열전》에 대해 옳지 않은 설명은 어느 것일까요?

① 마지막 편은 '태사공자서'이다.

② 나라에서 편찬한 관찬 사서이다.

③ 한나라 무제 시대에 쓰인 책이다.

④ 우리나라에 대한 이야기도 실려 있다.

⑤ 장사꾼과 도적에 대한 이야기도 있다.

05 다음 노래를 지은 사람은 누구일까요?

저 서산에 올라 고사리를 캐네. 폭력으로 폭력을 바꾸었건만 그 잘못을 모르는구나. …… 아! 이제는 죽음뿐 우리의 운명도 다하였구나.

① 부차 ② 항우 ③ 강태공 ④ 오자서 ⑤ 백이·숙제

06 관중과 가장 절친한 친구로 관중을 제나라의 재상으로 추천했던 사람은 누구일까요?

____

07 '토사구팽(兎死拘烹)'이란 무슨 뜻인지 직역해 보세요.

08 회음의 건달들이 한신을 괴롭히기 위해 한 일은 다음 중 어느 것일까요?

① 쓸개를 핥아 먹게 했다.
② 칼을 빼앗아 물에 던져 버렸다.
③ 닭 우는 소리를 흉내 내게 했다.
④ 가랑이 밑으로 기어 지나가게 했다.
⑤ 어머니가 돌아가셨다고 거짓말을 했다.

09 《사기열전》 제45편 '편작·창공 열전'에 나오는 편작의 직업은 무엇일까요?

① 의사 ② 장군 ③ 환관 ④ 선비 ⑤ 유세가

정답

01 ④ / 02 열전 / 03 ③ / 04 ② / 05 ⑤

06 포숙(혹은 포숙아) / 07 토끼가 죽으면(사냥이 끝나면) 사냥개를 잡아먹는다.

08 ④ / 09 ① / 10 주지육림(酒池肉林)

10 은나라의 마지막 왕인 주왕이 술로 연못을 만들고 그 주변에 고기를 주렁주렁 걸어놓고 놀았다는 데서 유래된 말로, '술로 만든 연못과 고기로 만든 숲'을 의미하는 사자성어를 쓰세요.